Feis

Nuala Ní Dhomhnaill

An Sagart
Maigh Nuad
1991

An Chéad Chló 1991

© Cóipcheart Nuala Ní Dhomhnaill

Buailte ar 11p. ar 13p. Garamond le 48p. do cheannlitreacha luite
agus 60p. do rannteidil

ISBN 1 870684 21 4

An Cinnire Laighneach a chlóigh

CLÁR

Buíochas

Bhí cuid de sna dánta seo i gcló cheana in irisí agus i nuachtáin éagsúla, mar atá:

> *Alpha, Anois, The Irish Times, Combar, The Irish Review, Dál gCais, Orbis, Womanspirit, Poetry Ireland Review, Stet, An Droichead, The Salmon, Krino, Chapman, Éire/Ireland, Innti,* srl, srl.

agus ins na díolaimí seo a leanas:

> *Wildish Things, Hill Field: poems and memoirs for John Montague, The Mayo Anthology, 32 Counties.*

Ba mhaith leis an údar buíochas ó chroí a ghabháil le Bernard Loughlin agus lena bhean Mary i dtigh Thyrone Guthrie in Eanach Mhic Dheirg, Co. Muimhneacháin, as ucht gach córach a chuireadar uirthi agus an leabhar seo idir lámha.

Buíochas ó chroí le Máirín Ní Dhonnchadha, a d'aistrigh scéal Mhór Mumhan ón tSeanghaeilge dom.

Buíochas chomh maith leis an Roinn le Béaloideas Éireann i gColáiste na hOllscoile, BÁC, agus go háirithe le Bairbre Ní Chaoimh a roinn a cuid ama liom go fial agus mé ag taighdeadh lámhscríbhinní Chorca Dhuibhne.

Agus buíochas thar éinne eile do mhuintir Chorca Dhuibhne féin, go háirithe do Joe Daly agus dá bhean Peig, do Cháit, 'An Bab' Feirtéar, agus dá fear Séamas, do Dhónall Ó Catháin (an t-aon fear tábhairne in Éirinn ar m'aithne go bhfuil trí foclóirí difriúla Gaeilge laistiar de chuntúirt aige), do Mhaidhcí Long, Cathair a'Treantaigh, do John Shea, Cathair a' Treantaigh (nach maireann) agus dom aintín Máire, bean Uí Mhurchú agus dá fear Thomas Murphy a chaith na blianta ag cur is ag cúiteamh liom is ag fadú mo shaoil le barr feabhais cuideachtan.

Buíochas ar leith do Bharbara Freeman a sholáthraigh na pictiúir ghreanta; do Chliodna Cussen a chóirigh an clúdach; don Dr Ciarán Ó Duibhin a thug cabhair foclaireachta; do Stan Hickey agus do Mhichael Kane a stiúraigh an clóbhualadh; agus do Tommy Duffy a cheangail.

Do m'fhear is dom' chlann a chuir suas liom ar mo thuras farraige d'oíche agus go speisialta do Mhelissa a chuir ar mo chumas an leabhar seo a chríochnú le méid agus feabhas a cuid babysitting.

Réamhrá

Bhí dáréag mac agus triúr iníon ag Aodh Beannáin, rí Urluachra. Bhí seanrá acu: ní amhail d'fhág Aodh Beannáin a chlann mhac! B'iníon le hAodh Beannáin Mór Mumhan. Bhí mísciamh nó aimliú uirthi i dtosach báire. Ní théadh sí ach chomh fada le doras an tí. "Mairg duit, a Mhór!" arsa an guth ón aer lastuas di. Mar sin féin, bhí rithe Éireann á hiarraidh mar chéile. Aon lá amháin, chuala sí an guth: "is mairg duit, a Mhór!"

"B'fhearr liom go dtitfeadh an crann seachas é bheith á thuar de shíor."

"Luath nó mall?"

"Go luath."

Ina dhiaidh sin ghaibh dásacht bhuile í gur chuaigh sí de léim thar dhumha an leasa amach agus níorbh fhios cá ndeaghaidh sí.

Thug sí dhá bhliain ag siúl ar fuaid Éireann. Dhubhaigh sí le gréin is le gaoith, ceirteacha is lomraí uirthi. Ráinig sí go Caiseal. B'é Fínín mac Aodha ba rí ansin agus iníon rí na nDéise a bhí fairis. Bhí sise (Mór) trí lá i mbun na gcaorach aici sin. Lá amháin chuaigh sí ón iníor isteach sa tigh ríoga agus bhuail fúithi in aice na tine.

"Cuiríg an caillichín sin amach," arsa Fínín.

"Beidh mo dhealg agat," arsa an bhanríon, "ach luighse léi anocht."

"Ní maith," arsa Fínín.

"Bíodh nach maith, is éigean duit é. Ní luífimidne le chéile go luífidh tú léi."

"Is éigean mar sin!" arsa Fínín. "Tugtar dom an dealg."

B'í féin a chóirigh an leaba dóibh, sé sin, an bhanríon. D'fhág an cailín na ceirteacha laistíos agus chuaigh sí isteach sa leabaidh chuige.

"Cad as duit, a chailín?" arsa Fínín. Is ansin a shloinn sí í féin agus tháinig a ciall chuici . . .

"Is maith," arsa Fínín. Thairg sé a cothrom féin d'airgead geal di i dtosach. Nuair a bhí ina mhaidin, d'éirigh sise chun na gcaorach.

"Ná dein," arsa Fínín. "Déanfadsa do chosaint ar an mbanríon."

Éiríonn an bhanríon agus bíonn sí ag gáirí fúthu.

"Gaibhíg uimpi an brat corcra úd agus dealg na banríona sa bhrat."

"Ní bheidh sí i gcomhoirirceas liomsa!" arsa an bhanríon.

"Beidh sin," arsa Fínín. "An ní a dhíolais, ní bheidh fáil agat air. Fanfaidh sise óir is fearr a cineál."

Is léi siúd a chuirtear gach dea-bhean in Éirinn i gcomórtas, sé sin le Mór Mumhan.

(Aistrithe ag Máirín Ní Dhonnchadha ón dtéacs ón 9ú aois.)

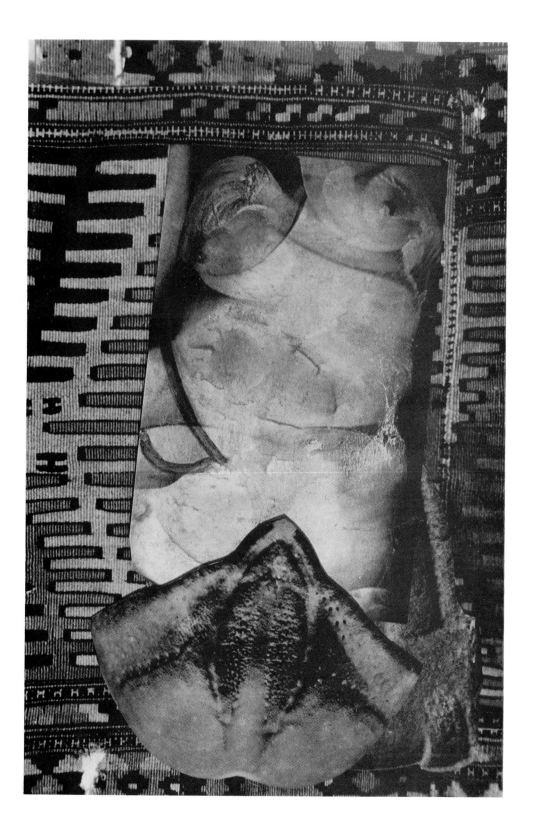

Cailleach

An Casadh

Anois nó go bhfuil coiscéim choiligh
leis an oíche
ní féidir liom mo chasóg labhandair
a chrochadh a thuilleadh
le haon tsiúráil nó leath chomh neafaiseach
ar an nga gréine
ar eagla go dtitfeadh sí ar an urlár romham
ina glóthach frog.
Tá an clog leis ar an bhfalla ag obair
i mo choinne,
beartaíonn sé tréas de shíor
lena lámha tanaí bruíne
a aghaidh mhílitheach feosaí
ag stánadh orm gan stad
is bagairt shotalach óna theanga bhalbh.

Anois nó gur chac an púca
ar na sméara
is go bhfuil an bhliain ag casadh
ar a lúndracha
puthann siollaí gaoithe
trí sna hinsí orainn
is séidimid fuar is te.
Deineann ár gcnámha gíoscán
ar nós doras stábla
atá ag meirgiú go mear cheal íle.
Cuireann sé codladh grifín orainn is uisce
faoinár bhfiacla
ag cuimhneamh dár n-ainneoin ar thránna móra
an Earraigh is sinn go fuadrach
le linn taoidí móra an Fhómhair.

Titfidh an oíche go luath sa tráthnóna
gan choinne
mar shnap madra allta
i gcoinne an ghloine.
Ní chreidim an bearradh caorach
a iompraíonn an spéir a thuilleadh,
níl ann ach dallamullóg
rud dorcha faoi bhréagriocht.

Is ní haon mhaith
"cuir do lapaí bána bána isteach"
a rá leis an ngaoth
sara n-osclaíonn tú an doras.
Tá neamhthor' aici ort fhéin
is ar do chaint bhaoth, is léi
urlár na cruinne le scuabadh
mar is áil léi.
Is bí cinnte dho nach spárálfaidh sí
an bhruis orainn anois,
gheobhaimid ó thalamh an dalladh
má fuair éinne riamh;
tá nimh ina héadan inár gcoinne
is gomh ina guth
go háirithe le tamall
ó dh'imigh an bhliain ó mhaith.

Cad tá le déanamh ach meaits
a lasadh leis an móin fhuinte
atá ag feitheamh go patfhoighneach
sa ghráta le breis is ráithe,
na cuirtíní a tharrac go righin
malltriallach ag fógairt an donais amach
is an tsonais isteach ar an dteaghlach,
suí síos le leabhar leabharlainne
le hais na tine
ag leathéisteacht le nuacht na teilifíse,
uaireanta ag dul i mbun cluiche fichille
nó dreas scéalaíochta
ag feitheamh le goradh na loirgne
is le róstadh na gcnap.

Titim i nGrá

Titim i ngrá gach aon bhliain ins an bhfómhar
leis na braonaíocha báistí ar ghloine tosaigh an chairr,
leis an solas leicideach filiúil ag dul thar fóir
na gcnoc ag íor na spéire os mo chomhair.
Le duilleoga dreoite á gcuachadh i mo shlí go cruiceach,
le muisiriúin, lúibíní díomais ar adhmad lofa,
titim i ngrá fiú leis an gcré fhuar is an bogach
nuair a chuimhním gurb é atá á thuar dúinn fós, a stór.

Titim i ngrá le gach a bhfuil ag dul as:
leis na prátaí ag dubhadh is ag lobhadh istigh sa chlais,
leis na brussels sprouts ag meirgiú ar na gais
ruaite ag an mbleaist seaca, searbh is tais.
Na rútaí airtisióc á gcreimeadh ar an luch,
na ruacain bodhar is doimhin sa ghaineamh fliuch,
na gráinní síl faoi iamh sa talamh, slán.
Titim i ngrá, beagáinín, leis an mbás.

Is ní hí an titim, ná an t-éirí aníos
san earrach – an searradh guaille, an cur chun cinn arís,
ag tabhairt faoin saol, ag máirseáil bhóithrín an rí
is measa liom, ach an t-amhras atá orm faoi.
Craithimid dínn brat sneachta, an tocht cleití
oigheartha a thiteann ó ál na n-éan neamhaí.
Caithimid uainn é, mar dhuairceas, i gcúil an choicís,
meallta ag straois na gréine is an teas.

An Bhatráil

Thugas mo leanbhán liom aréir ón lios
ar éigean.
Bhí sé lán suas de mhíola is de chnathacha
is a chraiceann chomh smiotaithe is chomh gargraithe
go bhfuilim ó mhaidin ag cur céiríní teo lena thóin
is ag cuimilt *Sudocream* dá chabhail
ó bhonn a choise go clár a éadain.

Trí bhanaltra a bhí aige ann
is deoch bhainne tugtha ag beirt acu dó.
Dá mbeadh an tríú duine acu tar éis tál air
bheadh deireadh go deo agam leis.
Bhíodar á chaitheamh go neamheaglach
ó dhuine go céile,
á chur ó láimh go láimh, ag rá
"Seo mo leanbhsa, chughat do leanbhsa.
Seo mo leanbhsa, chughat do leanbhsa."

Thangas eatarthu isteach de gheit
is rugas ar chiotóg air.
Thairrigíos trí huaire é tré urla an tsnáith ghlais
a bhí i mo phóca agam.
Nuair a tháinig an fear caol dubh romham
ag doras an leasa
dúrt leis an áit a fhágaint láithreach
nó go sáfainn é.
Thugas faobhar na scine coise duibhe
don sceach a bhí sa tslí
romham is a dhá cheann i dtalamh aige.

Bhuel, tá san go maith is níl go holc.
Tá fíor na croise bainte agam
as tlú na tine
is é buailte trasna an chliabháin agam.
Is má chuireann siad aon rud eile nach liom
isteach ann
an diabhal ná gurb é an chaor dhearg
a gheobhaidh sé!
Chaithfinn é a chur i ngort ansan.
Níl aon seans riamh go bhféadfainn dul in aon ghaobhar
d'aon ospidéal leis.
Mar atá
beidh mo leordhóthain dalladh agam
ag iarraidh a chur in iúl dóibh
nach mise a thug an bhatráil dheireanach seo dó.

Hotline

"Ní rud mór é seo anois . . . ach d'fhéadfaí
rud mór a dhéanamh as. Tá an leanbh thiar sa Ghaeltacht
agat ar scoláireacht trí mhí is diúltaíonn sé
dul ar Aifreann dóibh. Deir sé go mb'fhearr leis go fada breá buí
fanacht sa leaba, go bhfuil sé ina *phrotestant*.
Tá muintir an tí go mór faoi imní
ina thaobh seo ach níor theastaigh uathu aon ní
a bhagairt ort. Dá mba éinne eile é bheadh sé curtha abhaile acu
fadó riamh ach is leaidín chomh deas é ins na haon tsaghas slí
eile gur leasc leo é a náiriú . . . cé gur dóite
atá sé tuillte aige. Is ná ceap ar feadh niúimint ná tuigimse
an rud seo go léir, níl ann ach *history repeating itself*,
ach tá's agat an tslí atá siad ansan thiar – bain an craiceann dó
nó tabharfar drochainm duit.

Is tá's agat an trioblóid eile atá agat leis an leanbh iníne
a bhíonn ag goid na bhfáinní is na nótaí puint as na málaí?
Bhuel, glac mo chomhairlese anois is tabhair di ó thalamh é.
Bhí an trioblóid chéanna againne le do dheartháir Liam
is féach gur leigheasadh é. Deir sé fhéin liom gurb é an rud
is fearr a tharla dó riamh ná an lá a bhris Daideá a ghiall,
gur stop sé ón mbradaíocht é . . . Ó, ní shin é
an port a bhíonn aige leatsa, ab ea? Gur thit an tóin as an saol
air an lá san ab ea? Is nár tháinig sé chuige féin ó shin as?
Bhuel, ní galar éinne amháin an méid sin, a chroí,
tarlaíonn sé dos na héinne againn am éigin luath nó mall
is féach fós go mairimid.''

Boladh na Fola

Dúisím is tá boladh na fola
ceangailte de mo lámha.
Cé ná fuil aon rian dearg ná smearadh
le feiscint ná éinne de mo lucht aitheantais
in easnamh (comhairím iad ar eagla na heagla
ach beag an baol, táid go léir i láthair)
fós, dar liom go bhfuil boladh na fola
ceangailte de mo lámha.

Dar mo leabhar ach tá boladh na fola
ceangailte de mo lámha.
Cuardaím i dtaobh thiar de mhatras,
faoi chabha an staighre, laistiar de dhoras
féachaint an corp rí nó flatha
– Polonius ag lobhadh i dtaobh thiar den *arras* –
faoi ndeara boladh seo na fola
a bheith ceangailte de mo lámha.

Tá ifreann dorcha lán d'uiscí modartha
is sconnaí fuara ag teacht ón mbuacaire.
Tá mo lámha ina leidhbeanna, mo chraiceann gearbaithe
briste ó bheith ag síorghabháilt orthu le slíogart
is n'fheadar cé mhéid barra gallúnach *Sunlight*
ídithe in aisce gan tásc gan tairbhe
mar dar liom go deo go mbeidh boladh na fola
ceangailte de mo lámha.

An Sprid sa Staighre

"Tá duine éigin marbh agam
sa leabharlann.
Tá's agam é.

Seanbheainín ghruama
a bhíodh ag feitheamh liom
faoi chabha an staighre
gach uair a théinn 'on leithreas
nó ag glanadh m'fhiacla
nó fiú ag dul ag triall ar ghloine uisce.

Bhíodh sí romham ann
i log an chasaidh
a drandal nochtaithe
is í ar tinneall
is cé nár dhein sí riamh
aon díobháil dom
bhinn bodhar aici
ag gabháil timpeall.

Ní théadh aon stad
ar a rámhaillíocht,
ar a caint gan éifeacht
is a leathrannta,
í ag scaothaireacht i dtaobh
muillinn ag scilligeadh
i lár na habhann,
ar choinnleoirí is coinnle iontu.

Dhera, do rugas ar an bhfoclóir
is do bhuaileas leis
i gcúl an chinn í.
Tá a corp le fáil
laistiar den bpána gloine úd
ina bhfuil an teaspeántas agaibh
ar shaol na ngnáthdaoine
sna meánaoiseanna.

Is ar eagla ná creidfeá mé
seo mála páipéir
inar chuireas
a bhfuil agam dá
cuid éadaigh:
stocaí laisteacha
bróga, *brasière*,
culaith trí phíosa olna
is scaipléirí.''

Dúrt an méid seo
leis an leabharlannaí
laistiar den gcuntar,
fear óg le spéaclaí.
Is an gcreidfeá an fhéachaint
a thug sé orm –
''Bean mheánaosta, mheánaicmeach eile
spásáilte amach ar Valium.''

Ach tá duine éigin marbh agam
sa leabharlann.
Tá's agam é.
(Sprid na Bearnan?)

Peirseifiné

"Ná bí buartha fúm, a mháthair,
is ná bí mallaithe,
cé go n-admhaím go rabhas dána
is nár dheineas rud ort,
gur thógas marcaíocht ón bhfear caol dorcha
ina *BhMW*,
bhí sé chomh dathúil sin, is chomh mánla
ná féadfainn diúltú dhó.

Thug sé leis ar thuras thar sáile mé
thar raoin m'aithne.
Bhí an gluaisteán chomh mear chomh síodúil sin
gur dhóigh leat go raibh sciatháin faoi.
Gheall sé sról is veilbhit dom
is thug sé dom iad leis.
Tá sé go maith dhom – ach aon rud amháin,
tá an tigh seo ana-dhorcha.

Deir sé go mbead i mo bhanríon
ar chríocha a chineáil,
go ndéanfaidh sé réalt dom chomh cáiliúil
le haon cheann acu i Hollywood.
Tugann sé diamaintí dom is seoda chun mo thola
ach tá an bia gann. Anois díreach
thugadar chugham úll gráinneach. Tá sé craorag
is lán de shíolta ar nós na mílte is na mílte

braonta fola."

Banríon an tSneachta

Leathnaíonn an néal dóláis ar mo chroí
faoi mar a leathnaíonn brat smúite ar an gclabhar:
lá i ndiaidh lae titeann oiread na frí de síos
go dtí go ndúisíonn tú maidin amháin is tá an t-ualach ann.

Nó faoi mar a leathnaíonn sneachta ar an ndíon
fleaiteáilte atá lasmuigh d'fhuinneog na seomra leapan.
Méadaíonn na calóga bána ina gceann is ina gceann
go dtí go bhféachann tú suas is seo chughat Banríon an tSneachta

ag sméideadh ort, ag fógairt duit teacht léi
go hallaí fuara feannaideacha a pháláis
ag an Mol Thuaidh. Tá, istigh ina lár, lochán
an réasúin is é calcaithe chomh cruaidh le stán.

Is ar an lochán oigheartha sin suím síos
mar a bheinn ag caoineadh is ag cáiseamh cois sruthán Bhaibealóine
ach amháin nach deora a shileann ó mo cheann
ach dánta is dréachta is iad reoite ag an bhfuacht.

Is tusa, a ghrá ghil, go bhfuil na fabhraí dubha ort,
na leicne arda, an ghruaig lonrach is an taobh
is míne ná an síoda a luíonn i mburlaí i siopaí éadaigh,
dá mbéarfá barróg orm, nó le do dheora mé a théamh.

Nó dá mbeadh uimhir ghutháin agam, fiú, go bhféadfainn glaoch ort,
go ndéanfainn mo ghearán leat, ag olagón go fada bog binn,
go gcloisfinn do ghuth meala ag gluaiseacht tharam ina shlaodaibh:
"Cruinnigh do mhisneach, a chailín. Cuimhnigh ar do ghail is do
   ghníomh."

An Traein Dubh

Tagann an traein dubh
isteach sa stáisiún
gach oíche chomh reigleáilte
leis an gcóiste bodhar.
Bíonn na paisinéirí
ag feitheamh léi ag an ardán.
Aithnítear iad cé nach bhfuil réalt buí
fuaite ar aon cheann.

Tá cuid acu óg, lúfar
i mbarr a maitheasa.
Tá cuid acu críonna,
iad cromtha as a ndrom.
Tá cuid acu is níor dhóigh leat
go rabhadar marcáilte,
iad gealgháireach
le feirc ar chaipín is feaig fiarsceabhach.

Ach duine ar dhuine, bordáileann siad
an traein chéanna
atá ag feitheamh leo go dúr
mar bheithíoch borb.
Tá gal á shéideadh aici
as polláirí a cuid píobán.
Bogann sí chun siúil ansan
gan glao fiteáin ná doird.

Is maidir linne,
séanaimid a gcomhluadar.
Dúnaimid ár súile
is nímid ár lámha.
Ólaimid caifé is téimid
i mbun ár ngnótha
ag ligint orainn féin
nach bhfuil siad ann.

Is mealltar sinn le spraoi,
le comhacht, le hairgead,
leis an domhan gléigeal,
le saol an mhada bháin
is dearmhadaimid
go bhfuilimid fós sa champa géibhinn
céanna is gan aon dul as againn
ach tríd an ngeata cláir

mar a bhfuil tiarnaí dorcha an bháis
ag feitheamh faoi éide.
Treoróidh siad láithreach sinn
ar chlé, go dtí an traein.
Níl éinne againn nach dtriallfaidh
ann uair éigin.
Níl éinne beo nach bhfuil sí dó
i ndán.

Aois na Cloiche

B'shin í an bhliain gur thit an bháisteach as na spéartha
ní ina múrtha ná ina slaoda
ach ina ceathanna cloch.

Is maidir leis an sneachta, d'fhan sé ina phúdar mallaithe
ar gach bláthcheapach is lána.
Ní bhoigfeadh sé is ní leáfadh sé
ach oiread le *quartz*.

Níor ghá do bhardaisí cathrach leachtanna a thógaint
i gcearnóga ná i lár oileán tráchta.
Ná do gharraíodóirí i mbruachbhailte badráil le gnómanna:
bhí na daoine go léir rompu, reoite ina stangadh.

D'éirigh súil Fhomhórach na gréine go bagrach ag íor na spéire
gach maidin, gan teip,
is chas a radghathaíocht fhíochmhar ar an uile smut de thor
nó paiste luibheanna a leomhaigh péacadh nó a cheann a ardú
nó oiread agus sraoth a ligint as.

Samhlaigh duit féin cloch ag dúiseacht gach lá is ar éirí as an leaba,
ag searradh a charraig-ghuailne
is ag bogadh a theanga sall is anall mar leac
ag iarraidh labhairt.
Bhuel, b'shin agaibh mise.

Bhí fuar againn a bheith ag lasadh tinte is ag coimhlint leis an sioc.
D'fhás criostal ábhalmhór i dtuaslagán sárthuilithe ár maoithneachais
is bhí ag dul i méid is ag dul i méid
gur phléasc amach sa deireadh mar bholcán.
Pé rud a bhí de dhíth ansan orainn níorbh teas é.

Ag féachaint siar anois air
tuigtear dom gur mhair an bhliain sin achar agus faid na gcianta
cairbreacha.

Lá Chéad Chomaoineach

Ar ndóigh táimid déanach. Sleamhnaímid isteach sa phiú deireanach
i mbun an tsáipéil, an cailín beag sa ghúna bán ar an ngrua.
Tá an t-iomann iontrála thart is daoine ag rá an ghnímh aithrí:
A Thiarna déan trócaire, éist le mo ghuí is ná stop do chluais.

Sliochtanna as an mBíobla, an Chré is an Phaidir Eocaraisteach,
gaibheann siad trím chroí ar eiteoga, mar ghlór toirní i stoirm.
Tá an cór ag canadh "Hósana ins na hardaibh",
gur ag Críost an síol, is ina iothlann go dtugtar sinn.

Is tá an mórshiúl Comaoineach de gharsúin is de ghearrchailí beaga
ina ngúnaí cadáis nó a gcultacha le rosette is bonn
ar chuma ealta mhín mhacánta d'éanlaithe feirme
á seoladh faoin bhfásach gan tréadaí ná aoire ina mbun.

Agus is mise an bhean go dubhach ag áireamh a cuid géann sa
    mbealach,
ag gol is ag gártháil, ag lógóireacht don méid a théann ar fán,
iad á stracadh ó chéile ag sionnaigh is mictíre ár linne – an tsaint,
druganna, ailse, gnáthghníomhartha fill is timpistí gluaisteán.

Deinim seó bóthair dínn. Tarrac beag mear ar mo sciorta.
"A Mhaimí, a Mhaimí, canathaobh go bhfuileann tú ag gol?"
Insím deargéitheach: "Toisc go bhfuil mo chroí ag pléascadh
le teann bróid is mórtais ar lá do chomaoineach, a chuid,"

mar ag féachaint ar an ealta bhán de chailíní beaga,
gach duine acu ina coinnleoir óir ar bhord na banríona,
conas a inseod di i dtaobh an tsaoil atá roimpi,
i dtaobh na doircheachta go gcaithfidh sí siúl tríd

ina haonar, de mo dheargainneoin, is le mo neamhthoil?

An Poll sa Staighre

Tá poll sa staighre
istigh ionam.
Ní féidir liom é a threascairt.
Laethanta ní bhíonn le déanamh leis
ach fanacht ag póirseáil timpeall
i ndoircheacht an tsiléir
is troscáin smúiteacha na seomraí íochtaracha
á n-aistriú agam ó thaobh go taobh.

Tá rósanna feoite i bprócaí ann.
Tá madraí deilfe ar an gclabhar.
Tá olaghraf den gCroí Ró-Naofa
is lampa pairifín múchta os a chomhair.

Tá na cuirtíní ina mbrangóidí.
Tá siad ite ag na leamhain
is ag amhailteacha na hoíche
a fhágann mus fuarbholaidh ins gach ball.

Tá glas ar an bpianó.
Tá meirg ar an nglas.
Tá an mheirg ag creimeadh an chroí ionam
is ní féidir liom teacht as.

Ach tá laethanta go mbím lúcháireach
is le haon léim lúfar as mo chorp
scinnim isteach sna seomraí uachtaracha
is dalltar glan mé ag an solas.

Dípfríos

Cornucopia na haoise, an cóifrín draíochta
as a dtógaimid nua gacha bia agus sean gacha dí –
oiread sólaistí agus d'iarrfadh do bhéal
is gan aon dá ghreim acu ar aon bhlaiseadh.

Bolg soláthair gach teaghlaigh, tobar slánaithe
ár n-ocrais oidhreachtúil ná méadaíonn
is ná téann i ndísc. Adhraimid a chairn
ollmhaitheasa. Níl aon teora lena shlaodaibh oigheartha

de mhil is uachtar, de phéitseoga is úlla,
de strúisíní Gaelacha, sceallóga,
ceathrúna mairteola ina fheoil mhionaithe,
iarphroinnte, cístí milse, dhá chaora.

Tá cúig bhollóg aráin ann is dhá iasc
faoi choinne sluaite comharsan (má thagann siad).
Is cé chuir an cat marbh seo i measc an spionáiste?
– A Jimín Mháire Thaidhg, gearánfad tú led Mham!

Suite go buacach i gcroílár gach cisteanach
feidhmíonn mar mheafar bunaidh ár sibhialtachta.
Is iad ceolta sí na cruinne seo a chluinimid
ná a mhiam sástachta, cáithníní áthais srutha leictrise.

Momento mori, par excellence, ná feaca
riamh ceann, samhlaoid uafar ar an díog
dar di sinn is gur chuici atáimid;
íomhánna greanta gach a gcúblálaimid inti:

marbh agus cruaidh is chomh fuar leis an uaigh.

An tSeanbhean Bhocht

Féachann an tseanbhean orm le neamhshuim is uabhar
as a súile tréigthe atá ar dhath na mbugha
ag cuimhneamh siar ar laethanta geala a hóige,
gur thrua go raibh gach aon ní chomh buacach san aimsir ollfhoirfe.
Canathaobh an uair úd nuair a chan éan
gurb í an neachtaingeal a bhí i gcónaí ann?
Canathaobh fadó nuair a thug a leannáin chuici
fleascanna bláth gurb iad na cinn *orchidé en fleur*
ab fhearr a fuaireadar? Nó b'fhéidir ar laethanta fuara
sailchuacha cumhra. I gcónaí bhíodh buidéal seaimpéin
ar an gclár i mbuicéad ard leac oighre, bhíodh lása Charraig Mhachaire
   Rois
ar chaola a láimhe is bhíodh diamaintí ar sileadh óna cluasa,
muince péarlaí casta seacht n-uaire thart faoina bráid,
is ar a méireanna bhíodh fáinní luachmhara, go háirithe
ceann gur chuimhin léi a bheith an-speisialta – ceann
ar a raibh smeargaidí chomh mór le húll do phíopáin.

Féachann sí orm anois leis an dtruamhéil fhuar
a chífeá go minic i súile a bhí tráth óg is breá,
ag meabhrú di féin i m'fhianaise, leath os íseal
is leath os ard, gur mhéanar don té a fuair amharc
ar an gcéad lá a shiúil sí go mómharach síos an phromanáid
mar ríon faoina parasól; ar na céadta céadta gaiscíoch
is fear breá a chuaigh le saighdiúireacht in airm na Breataine
nó a theith leo ar bord loinge go dtí na tíortha teo –
aon ní ach éaló ós na saigheada éagóra
a theilgeadh sí orthu de shíor faoina fabhraí tiubha.

Caoineann sí, ag monabhar faoina hanáil go bog,
an tréimhse fhada, achar bliana is lae,
ar thug sí an svae léithi mar bhanríon na bplainéad:
na leanaí a bheirtí nuair a théadh sí faoi loch
i ndaigh uisce i lár na cistineach,
múchadh nó bá an chríoch bháis a bhíodh orthu
is dob é an chroch a bhí i ndán do gach n-aon
a raibh de mhí-ádh air teacht ar an saol
nuair a bhí lúb na téide tarraigthe ar a muineál.
Is iad siúd a chéad chonaic solas an lae
nuair a léimeadh sí sa tine gurb é a ndeireadh
a bheith dóite is loiscithe le teann grá di féin,
chun gur thit na céadta ina sraithibh deas is clé
ní le grá bán nó breac ná grá pósta, mo léir!
ach an grá dubh is an manglam dicé a leanann é.

Anois tá sí cancarach, ag tabhairt amach dom
ar dalladh. Tá sí bréan bodhar bodaráilte
ó bheith suite ina cathaoir rotha. Gan faic
na ngrást le déanamh aici ach a bheith ag féachaint
ar na ceithre fallaí. Rud eile,
níl na cailíní aimsire faoi mar a bhídís
cheana. Fágann siad rianta smeartha
ar an *antimacassar* lena méireanta salacha.
Fuair sí an píosa bróidnéireachta sin ó bhean
ambasadóra is bheadh an-dochma uirthi é a scaoileadh
chun siúil nó, tré dhearmhad, ligint dóibh siúd
é a mhilleadh.

Tugaim faoi ndeara nach nguíonn sí
sonuachar maith chucu nuair a thagann siad
isteach leis an dtrádaire líonta síos go talamh
le gréithre póirseiléine, taephota airgid
is ceapairí cúcumair. Táimse ar thaobh na gcailíní,
is deirim léi cén dochar, go bhfuil siad fós óg,
is nach féidir ceann críonna a chur ar cholainn,
nach dtagann ciall roimh aois is gur mó craiceann . . .
is gur ag dul i minithe is i mbréagaí atá gach dream
dá dtagann – gach seanrá a thagann isteach i mo chloigeann,
aon rud ach an tseanbhean bhaoth seo a choimeád socair.

An Fáth Nár Phós Bríd Riamh

Is é an fáth nár phós Bríd riamh,
cé go raibh troscán uile a tí,
a *trousseau*, a gréithre, a cuid mangaisí
ullamh chun imeachta an lá roimh ré,

ná maidin na bainise, ar a naoi
go bhfuarthas a hathair is beirt dá chlainn
go fuar marbh ceangailte do bhrainsí crainn
ar crochadh ó théadán níolóin, an ghaoth is an ghrian

scaoilte tríothu go follasach, is rian na bpiléar
le haithint, cé nach bhfuarthas an dúnmharfóir riamh.
Chuir san mallacht ar na himeachtaí
is bhí mar thoradh air, dar ndóigh, nár phós Bríd riamh.

Cailleach

Taibhríodh dom gur mé an talamh,
   gur mé paróiste Fionntrá
   ar a fhaid is ar a leithead,
soir, siar, faoi mar a shíneann sí.
Gurbh é grua na Maoilinne grua
mo chinn agus Sliabh an Iolair
mo chliathán aniar;
gurbh iad leaca na gcnoc
mo loirgne is slat
mo dhroma is go raibh an fharraige
ag líric mo dhá throigh
ag dhá charraig sin na Páirce,
Rinn Dá Bhárc na Fiannaíochta.

Bhí an taibhreamh chomh beo
nuair a dhúisíos ar maidin
gur fhéachas síos féachaint an raibh,
de sheans, mo dhá chois fliuch.
Ansan d'imíos is dhearmhadas
a raibh tarlaithe, ó,
tá dhá bhliain is breis
anois ann, déarfainn
go dtí le fíordhéanaí
cuireadh i gcuimhne arís dom
fuíoll mo thromluí
de bharr líonrith m'iníne.

Bhíomair thíos ar an dtráigh
is bhí sí traochta.
Do chas sí abhaile
ach do leanas-sa orm ag siúl romham.
Ní fada gur chuala í
ag teacht chugam agus saothar uirthi,
í ag pusaíl ghoil le teann coisíochta.
"Cad tá ort?" "Ó, a Mhaim, táim sceimhlithe.
Tuigeadh dom go raibh na cnoic ag bogadaíl,
gur fathach mná a bhí ag luascadh a cíocha,
is go n-éireodh sí aniar agus mise d'íosfadh."

Caitlín

Ní fhéadfá í a thabhairt in aon áit leat,
do thabharfadh sí náire is aithis duit.
Díreach toisc go raibh sí an-mhór ina *vamp*
thiar ins na fichidí, is gur dhamhas sí an Searlastan
le tonntracha méiríneacha ina gruaig dhualach thrilseánach;
gur phabhsae gléigeal í thiar i naoi déag sé déag,
go bhfacthas fornocht i gConnachta í, mar áille na háille,
is ag taisteal bhóithre na Mumhan, mar ghile na gile;
go raibh sí beo bocht, gan locht,
a píob mar an eala, ag teacht taobh leis an dtoinn
is a héadan mar shneachta,

ní théann aon stad uirthi ach ag maíomh
as na seanlaethanta, nuair a bhíodh sí ag ionsaí
na dúthaí is an drúcht ar a bróga,
maidin Domhnaigh is í ag dul go hEochaill
nó ar an mbóthar cothrom idir Corcaigh agus Dúghlas,
Na rudaí iontacha a dúirt an Paorach fúithi
is é mar mhaor ar an loing. Is dúirt daoine eile
go mbeadh an Éirne ina tuilte tréana, is go réabfaí
cnoic. Murab ionann is anois nuair atá sí ina baintreach tréith
go raibh sí an tráth san ina maighdean mhómhar, chaoin, shéimh
is díreach a dóthain céille aici chun fanacht i gcónaí
ar an dtaobh thall den dteorainn ina mbítear de shíor.

Ba dhóigh leat le héisteacht léi nár chuala
sí riamh gur binn béal ina thost, is nach mbíonn
in aon ní ach seal, go gcríonnann an tslat le haois
is fiú dá mba dhóigh le gach spreasán an uair úd
go mba leannán aige féin í, go bhfuil na laethanta san thart.
Cuirfidh mé geall síos leat nár chuala sí leis
mar tá sé de mhórbhua aici agus de dheis
gan aon ní a chloisint ach an rud a 'riúnaíonn í féin.
Tá mil ar an ógbhean aici, dar léi, agus rós breá
ina héadan. Is í an sampla í is fearr ar m'aithne
de bhodhaire Uí Laoghaire.

File

Múnlaím an teanga seo i mo lámha
mar earra plaisteach éigin,
marla gorm linbh
nó *bluetack* b'fhéidir

agus deinim cístí tanaí de
a thugaim mar bhia do dhaoine.
Glacann siad agus itheann siad
an abhlainn bheannaithe.

Conas más ea, nach féidir liom
mé fhéin a athnuachan?
Conas nách bhfágtar agam
ach dríodar an chaca

– Corp Chríost, mar dhea –
fáiscithe i bpáipéar milseáin?
An piollaire searbh
nach féidir liom a shlogadh.

33

Leasmháthair

Leasmháthair dom is ea an grá seo.
Níl aon truamhéil inti mar mhothú.
Croí cloiche atá istigh ina lár aici.
Dil ná deor ní bhfaighim uaithi, ach mo dhíothú.

Cuireann sí a chodladh ar bholg folamh mé,
mo chos nite is mo licín líricthe.
Tumaim síos go cluasa sa tsúsa go maidin
gan néal do thitim orm, ní lú

ná mar a thagann staonadh ar mo dheora féintrua
ag rá "faraoir mo mháthair, nár ghaibh an bóthar mór
go dtiocfadh faoiseamh ar mo chás lá éigin
ach gabh sí sa chóngar,is bádh í ina púir mhór."

Nuair a bhíonn min na cneastachta á criathairt
ní bhfaighim aon bhlaiseadh di, aon ruainne beag ná mór.
Nuair a bhíonn císte an tsonais á roinnt ar an dteaghlach
tagann fonn urlacain orm, rud ná tógfadh leasmháthair orm fiú.

An Chinniúint, Mar Chat Dorcha

Tráthnóintí samhraidh ar an mBaile Loiscithe,
(b'fhéidir nach raibh ann ar deireadh ach aon tráthnóna
amháin) bhíomair chomh hóg is i ngrá is gan aon speilp orainn
ag caitheamh uaireanta fada a' chloig ag tógaint gach re bolgam
as aon phionta beorach amháin. Ceo brothaill ar an gcuan,
sinn ag féachaint ar na báid is na lastlonga
ola ag traibhleáil thar bráid go malltriallach,
iad ag beannú dá chéile i ndainséaracht an cheobhráin
le moladh is mórtas, le trí ghlao fada bonnáin.

Thíos sa Pholl Gorm tá leanaí is déagóirí ag scréachaigh,
ag tomadh i ndiaidh a gcinn is ag gleáchas i measc na dtonn.
Tá monabhar bog crónánach le clos ó dhaoine ag siúl timpeall
gan faic le déanamh acu, gan cíos, cás ná cathú.
Bíonn ár gcéad bhruíon againn. Tagann tú amach as an gcistin
ag rá liom go bhfuil caint ag *"blackbird"* atá istigh.
"Fastaím ó thuaidh", a fhógraímse, "ná níl aon chaint ag lon dubh"
is bímid ag itheadh is ag bearradh ar a chéile ar feadh tamaill
sara dtuigim nach *"blackbird"* atá i gceist in aon chor, ach "mynah",

is ar ndóigh, is *"black bird"* é sin chomh maith le cách.
Dearmaidí beaga foghraíochta ag cur an chroí trasna orainn.
Nílimid ach ag cur aithne ar a chéile is dar linn ní fiú trácht
ar na difríochtaí móra meoin is cultúrtha atá eadrainn.
Is dóigh linn go mairfidh an sonas seo ins an tsíoraíocht
go bhfuil rith an ráis linn, go leanfaidh an saol seo faoi dhraíocht.
Sinn beirt suite ar aon bhinse ag éisteacht le héanlaithe in éanlann
i ngairdín tí tábhairne. Ar an lána lasmuigh dóibh tá lon
dubh á ngríosadh chun barr feabhais is á leanúint le teann pléisiúra,

agus canathaobh ná mairfeadh an sonas seo ar feadh na mblian?
Ní thuigimid fós go bhfuil tóineacha stoirme ag bailiú orainn
is go raghaimid ceangailte i ngaiste lucht mailíse is biadáin.
Go bhfuil mogalra dlúth ár namhad ag teannadh go tiubh linn
is go dtitfimid in umar cruáltachta nach eol dúinn bheith ann.
Cheana féin tá an chinniúint, mar chat dorcha,ag fairís faoi bhun
chrainn troim sa chúinne, ina luí i luíochán, a liodáin tairricthe
is a shúile ag glinniúint. Tabharfaidh sé aon fháscadh ruthaigh
marfach amháin ar an lon, m'anam ceolta, is m'uileacán dubh ó.

35

Mo Shaol Faoi Ghloine

Is néal nó scamall é a thagann anuas orm
nó rud éigin dealraitheach le pána peirspéacs
trína bhfeicim gach ní le deacaireacht.
Tá boladh lofa ins an timpeallacht
nach míníonn an mála prawns a d'fhágas
go dearmhadach ag lobhadh i lár na cisteanach.
(Bhí trí lá ann sarar thuigeamair é bheith ann.)
Nó an luch a ghlac na gráinní eornan
a bhí leasaithe go maith le nimh na bhfrancach
is a theith isteach i bpíobán an teas lárnaigh
chun bás d'fháil. Tá mar a bheadh liú im chluais
ar leibhéal supersónach. Cloiseann an gadhar ionam
an fead ag glaoch air is caitheann an lá ag gabháilt
timpeall is timpeall i ndiaidh a eireaball,
ag déanamh nead dó féin i gcoinne na hanachaine.
An chuid eile díom, nach gadhar, cloiseann
agus ní thuigeann, tuigeann agus ní léann.
Tá súilín ins gach bolgán, fiú in uisce
na n-áraistí. Tá súilín circe faoi shál gach coise.
Tá súilín ribe ag fanacht le gach coiscéim.
Tá súilín mhillte ag gliúcaíl aníos orm
ó chabáiste an mhadra rua faoi gach cab cloiche.
Tá colainn gan ceann ag at im bhroinn
is tá fear mo bhraite gach lá im chuibhreann.

P.S. Faoi mar a chíonn sibh ó mo litreacha
dhá ghalar an chait is mó a mheileann na laethanta dom:
mioscais agus fiosracht.

Beihoiméit

Marbh, mar is gnáth, ages na pianta cnámha
cuirim mé féin, i gcomhair an lae, i gcionn a chéile.
Cos a chur fúm anseo, uille a fhilleadh ansiúd,
smoirt péinte faoi na malaí is sáim cúpla biorán
gruaige isteach im mhothall glibeach fiarsceabhach,
doicheall orm fiú mo cheann a réiteach.

Is tosnaím, gan mhoill, ar an obair throm mhalltriallach
dhuaisiúil, haiceálta sin gur chuige seo, ní foláir,
a cuireadh ar dtúis ar an saol mé.
Leis an scuab bheag phlaisteach sin go ndeinim
ar laethanta maithe, im leáite a chimilt ar an bpéistrí,
nochtaim go cúramach as an ngaineamh fliuch, de réir a chéile,
le foighne na feithide, le síordhúthracht na seangán,

le súil ghéar an tsealgaire, le héisteacht na muice bradaí,
gach re "uff" agus "puff" asam, gach re seal ag eascainí,
imlínte pianmhara ár n-imeagla, fráma tagartha na sceimhle
a fhágann chomh minic ar lár sinn, in umar na haimléise.
Ba dhóigh leat ar dtúis air gur creatlach báid é, sórt
Sutton Hoo ár muintire, ach is gearr go nochtann ina chan ceart
Beihoiméit an tSeana-thiomna, arrachtach na bhfinscéal.

Deora Duibhshléibhe

Trasnaím Mám Conrach
ar thuairisc mo ghaolta
is níl siad ann,
is tiomáinim liom cruinn díreach
ar aghaidh i dtreo Shruibh Bhroin.
Tá tithe na Machairí
ag glioscarnach mar chlocha scáil
is léas ar an uisce
mar bhogha síne iomlán
is gan an bogha le fáil.

Dá mbuailfinn anois leis an mBean Sí
Deora Duibhshléibhe
is í ag teacht ag caoineadh
Ghearaltaigh Mhurargáin:
seanbheainín liath faoi chlóca uaithne
is madra beadaí faoina hascaill
(*chihuahua*, ní foláir)

n'fheadar an mbeadh sé de mheabhair agam
is de éirim chinn
fiafraí
cad a bhainfeadh an draíocht
den Dún idir Dhá Dhrol
atá sna huiscí thíos
is an léas seo os a chionn
mar scáil?

Nó ab ann ab amhlaidh
a bheannóinn di go simplí
is í ag dul thar bráid
faoi mar a dheineas anois
ó chianaibhín
le bean ón áit.

Madame

Madame lastíos de loch,
do rúmanna geala
ina mbíodh mairt á leagadh
is caoirigh ar bhearaibh,

do chúirteanna aolda
ar oileáin ar imeall na mara
nó ag íor na spéire
a bhíodh de shíor am mhealladh

ó thráth m'óige i leith.
Ní tigh draighin é ná tigh
cárthain do ionad cónaithe
ach halla airneáin.

Tá fiche troigh i leithead
a dhorais, tá díon
air de chleití éan
dearg is gorm.

Ní gá fuinneoga a dhúnadh
anseo ná doirse;
is cuma, mar tá
gach aon ní fliuch.

Is tá mo mháthair á treorú
agam i do choinne,
thar dhroichead gloine,
cos ar chos is rícháiréiseach

gach coiscéim a chuireann sí roimpi
ach tá ag éirí linn.
Ag tairseach do ghrianáin soilsigh
tagann fuarallas orm

ar an leac,
ag an doras roithleánach
a bhíonn de shíor is choíche
ag casadh ar mhórdtuathal,

mar éinne a théann suas
do staighre cloch
ní fheictear arís é
go brách.

Carraig na bhFiach

"Tá ceithre creasa ar an ndomhan,
leanaigh do cheann is gheobhair eolas"
a dúirt an tseanbhean liom sa taibhreamh,
í siúd a chasann an domhan mór ar a fhearsaid.

Is maidin gheimhridh leanaim na comharthaí sóirt
a aithním sa ghrian, sa talamh is san aer,
is téim i ndiaidh mo shróna síos le sruth
na habhann chomh fada leis an gcor ag Carraig na bhFiach.

Trasna uaim tá faill dhorcha sceallachloch
ag gobadh amach chomh mómharach le beann
is timpeall orm tá ciorcal draíochta glóir
ós na clocha corra i mo dhiaidh is Poll an Easa romham.

Siúlaim isteach san abhainn. Tá sé garbh fuar.
Ba dhóigh leat an dá chois orm reoite ag an oighear,
ach leanaim i gcónaí ag cur coise romham
go sroichim an bruach eile thall, faoi sciathán den bhfaill.

Tá luibh Eoin Baiste dreoite istigh sa scoilt
is ceannaíocha dubha ó anuraidh mar gheosadáin.
Tá caonach chomh tiubh le duileascar na gcloch
ag fás ins an bhfothain is ribíní fada eidhneáin.

Tógaim mo cheann; tá an cuileann fós go glas
is an bheith go niamhrach grástúil os mo chionn.
Craithim sceach gheal is titeann brat sceachóirí le sruth
is ithim ceann nó dhó acu in éamais an chnó

choille a shlogann an bradán chun go bhfaigheann fios.
Mo ghrua i gcoinne na cloiche gheibhim deis
teacht chugam féin, slán ón mbearna bhaoil,
mo cheann a chruinniú, bheith préamhaithe sa talamh is saor

ó arrachtaí na samhlaíochta is ós na deamhain aeir.

Na Trí Shraoth

"Mo mhuintir faoi ndeara é.
Do ligeas trí shraoth.
Má airíodar aon cheann acu
níor ligeadar orthu é.

Do ligeas an chéad cheann
in aois a dó dhéag,
is mé i mbéal na meanáirce
do bhuaileadh orm taom.

Do ligeas an tarna ceann
is mé i mo chailín óg.
Níor chuir éinne Dia lem anam
ná sonuachar chugam níor ghuigh,

ach iad go léir ag obair
is craos orthu chun an tsaoil.
Bhíodar chomh scaimhte sin chuige nár bhraitheadar
mé ag tréigean in aghaidh an lae.

Is anois tá an donas déanta
mar do ligeas an tríú sraoth
ar mo leaba luí seoil, de dhroim linbh,
is cén mhaith dhomh bheith am bheannachadh féin?

Mar is iad t'athair is do mháthair
is dea-ghuí do chairde gaoil
a choinníonn na deamhain aeir is na deamhain uisce
amach ó do thaobh.

Nuair nár léadh an leabhar Eoin ormsa
ní raibh aon chosaint le fáil
is beifear chugam anois sara fada –
braithim é in íochtar mo chnámha.

Tagann giorria thar an tairsing
anseo isteach gach lá.
Is tá cat is aghaidh fir air
ina shuí le hais an tlú.

Is mo mhallacht ar an airgead
is ar an éirí in airde,
ar an tsaint is ar an saoltacht
ná coinníonn daoine san airdeall

go bhfuil fórsaí na doircheachta
dár n-ionsaí go deo
is gurb é teas colainne ár gcine
a choinníonn sinn beo.''

D'imigh sí uathu,
mo shín-sheanmháthair féin
is bhí ina síofra sa bhfásach
roimh breacadh an lae.

Ach ar bhóthar na Leataithe
is i Leataoibh Meánach féin,
braithim a hánáil fhuar am fháscadh
is am tharrac síos ins an chré.

Mo Theaghlach

Ag seo agaibh, go hachomair, mo theaghlach
an teaghlach a d'fhág meidhreach mo chroí.
Ins an seomra suite tá mo dheirfiúr Aoife
ar a corraghiob ag bailiú pinginí
a thit laistiar den dtolg is don bpianó
rianta deireanacha a spré a chuaigh amú.
Deir sí an fáth go bhfuil sé ag imeacht ar bóiléagar
ná an rud a bhailítear de dhroim an diabhail
gur faoina bholg arís a imíonn sé, airiú.

Ins an seomra folctha tá m'uncail Dónal
ag dul faoi loch sa dabhach mar fhomhuireán.
Is dóigh leis má choimeádann sé a cheann síos
ná tabharfaimid faoi ndeara é a bheith ann.
Táimse mór leis is tuigim an stair atá laistiar de,
an tslí gur fuath leis caint, cadráil is biadán,
is nuair a théim thar bráid, tugaim trí rap ar an ndoras
ag fógrú dó go bhfuil aige *"all-clear"*.

Ins an dtolglann níl aon tine ins an ngráta
ach é tógtha suas ó bhonn ag crann mór groí
atá préamhaithe i lúidín clé mo dhearthár
is a fhásann aníos tré dhíon is tré fhrathacha an tí.
Deirtear go b'ann a chuir cailín éigin mallacht air
de bhrí gur dhein sé éigean uirthi bliain
leadránach éigin thiar ins na caogadaí.
Ní stopann sé ach ag slogadh *aspirin* leis an bpian.

Sa seomra leapan taobh thiar den leaba dhúbailte
tá cófra mór agus doras uaithne air.
Laistiar de tá dhá leanbh ar bheagán meabhrach
ná tagann amach riamh faoin ngaoth nó faoin ngrian.
Tá siad á gcoimeád ann ar chuma na *Hairy Babies*
a mhair áit éigin thuaidh in aice le Trá Lí.
N'fheadar éinne againn i gceart cé hí a máthair
is tá náire orainn go léir gur saolaíodh iad.

Thíos sa siléar a gheofá an file filiúil
col ceathar dúinn atá leochaileach, feosaí.
Bhíodh sé de shíor is choíche ag cumadh píosaí filíochta
is dár mbodhradh leo go dtí gur chuireamair gobán ar a bhéal.
Fuadaíodh é is cuireadh ceangal na gcúig gcaol air
is ar chuma éigin bíonn sé chomh mallaithe leis an ndiabhal
uair má seach go n-éiríonn leis teacht aníos chugainn
ba dhóigh leat go raibh adharca air is é ag tarrac slabhraí ina dhiaidh.

Sa seomra rúnda a chíonn sibh i mbarr an staighre
tá seanbhean a bhíonn de shíor ag eascaainí.
Ní thógann éinne aon cheann a thuilleadh dá healaí
go háirithe nuair a éilíonn sí gurb í Caitlín Ní Uallacháin í.
Bhuaileas-sa léi lá is gan í ródhona
is dúirt sí liom gurb é a hainm ceart ná *Grace Poole*
N'fheadarsa ó thalamh Dé cé bhí i gceist aici
is fiú dá mbeadh a fhios fhéin ar Eirinn ní neosfainn cé hí.

Amuigh ar an ndíon, ins an seanchás tae is both dó
tá seanduine leis féin i bhfolach ón slua.
Caitheann tú dul thar dhroichead cláir chun teacht air
is ní maith leis daoine a chuireann air aon dua.
Tá sé ráite go maireann sé go sona sásta
le harem breis is trí fichid leannán sí.
Tá sé ráite gur dhúnmharaigh sé mo mháthair.
Tá sé ráite gurb é m'athair críonna é.

Bean an Leasa

An Slad

Sheas Bean an Leasa
ag an doras tráthnóna.
D'fhéach sí in airde sa spéir.
Chonaic sí go ndéanfadh sé
an-oíche bradaíochta
is go raibh an aimsir faoi dhó.

Labhair sí thar a gualainn
isteach ar na fearaibh
ag meargú fúthu,
á bpriocadh is á saighdeadh
chun a thuilleadh díobhála.
Sa deireadh chuir sí cealg iontu.

Dúirt sí "Is maith an t-ábhar an oíche
dá mba mhaith na fiagaithe na fir.
Tá sí spéireanach, réiltheannach
gan a bheith fliuch
agus dá mba ormsa a bheadh an bríste
ba mhaith an chaora a bheadh agam ón gcnoc".

B'shin a raibh uathu.
Do thugadar sciuird chuthaigh
is do dheineadar cosair easair don dúthaigh.
Do bhíos-sa go mí-ámharúil sa bhealach rompu
i mo chaoirín odhar mhaolchluasach.
Do ropadar mo mhuineál, do ghearradar mo speireacha.
Do chuireadar poll is fiche i mo sheithe.

Is a Bhean an Leasa
arbh fhiú an róstadh?
Ar chuir sé do dhóthain póite
ar do bholg?
Ar bhainis aon tsúp
as mo chrúibíní néata?
Ar chuimlís aon gheir
le do thóin?

Bean an Leasa mar Shíobshiúlóir

Do shuigh Bean an Leasa
isteach in iarthar na cairte
is do dhún sí an doras.
"Féach i do dhiaidh ort"
a dúirt sí lem fhear céile
a bhí ag tiomáint abhaile
tar éis lá crua oibre san oifig.

D'fhéach sé is chonaic
an bóthar lán suas d'earraí:
fístéipeanna, ceamaraí
ríomhairí is rudaí,
"Cad chuige iad seo?", ar sé
"Sin iad mo cholpa spré dhuit".
"Gan tú mhórligint dom,
tá mo dhóthain agam cheana acu."

"Féach i do dhiaidh ort", ar sise arís
is nuair a d'fhéach sé thar a ghualainn
bhí an bóthar lán de chapaill mhóra,
capaill ráis is capaill oibre.
"Seo mo cholpa spré dhuit
is an dtaitníonn siad leat?" arsa mo bhean.
"Ní thaitníonn siad ná tusa ach chomh beag",
is do choinnigh sé a shúile scúite
ar an roth tiomána.

"Féach i do dhiaidh ort", ar sise
is dhein bean chomh breá dhi
gur thit m'fhear céile
i ngrá léi láithreach.
D'imíodar den mbóthar
is n'fheacasa ó shin é.
Bíonn sé ag tiomáint *juggernaut*
tré bhoithre iarthar Chorcaí
is an diabhal de dhalladh faoi.

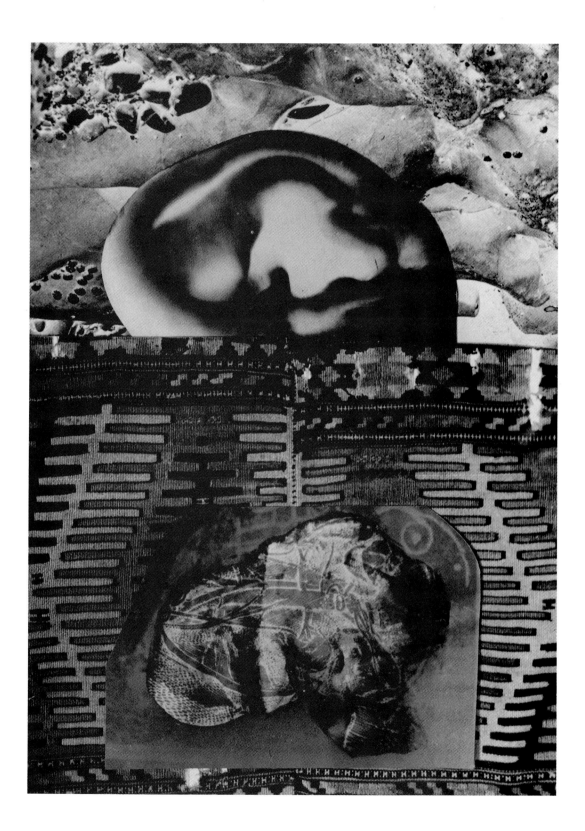

Is dúirt bean liom go ndúirt
bean léi go mbíonn sé ag gabháilt timpeall
na tíre i dteainc mór groí,
na mionnaí beaga is na mionnaí móra
á stealladh aige deas is clé,
ag rá i measc rudaí eile go maróidh sé
mé fhéin, is na leanaí is a Dhaid
is Uachtarán na Mac Léinn.

Bhuel, tá mo lámhasa glan air.
É féin an leaid.
Deineadh sé pé rud ar bith is áil leis.
Táim saor air, *by* deaid.
Níl ach aon rud amháin le rá agam
is é á rá agam gan stad:
gurb í siúd atá á ghriogadh
chun na n-oibreacha seo ar fad.

Comhairle ó Bhean an Leasa

De ghnáth
nuair a théim ar mo chuairt oíchiúil
isteach sa lios
cuireann siad suandruga isteach sa chaifé chugam
ag cinntiú
go ndearmhadaim a bhfeicim is a gcloisim
sara ndúisím

is fiú
an díolaíocht a gheibhim
ó am go ham
toisc dúthracht bheag a dhéanamh dóibh –
oibreacha stáit, cuirim i gcás, a sholáthar
nó comhaid rúnda,
fo-bhean óg, b'fhéidir, a fhuadach
nó cluiche caide a bhuachtaint

i gcoinne na treibhe úd thall.
Bhuel, bíonn cosca allmhuirithe chomh dlúth
i bhfeidhm acu
is ráta malairte chomh docht
go bhfágtar gan éifeacht ar maidin mé.
(Chualabhair cheana, ní foláir
i dtaobh na mbileog sráide
is conas a bhíonn mo phócaí lán
de chlocha is de chac capaill.)

Ach arú
aréir is mé ag taisteal leo sa bhFrainc
(mo sheanbhéim chéachta mar *Landrover* fúm
i gcónaí)
chuamair isteach i bhfíonghoirt na Burgóine,
áit a raibh bleaist bheag seaca
le leagadh acu ar na *vendages*
– ceist mós deacair i dtaobh tairiscint éigin
ná féadfaí diúltú dhó –

is d'fhág bean dhorcha an slua,
tháinig i leith chugam
is thug comhairle dom i dtaobh na bhfíonta ab fhearr
sa taobh seo dhúthaigh.
Ghlacas a comhairle, cheannaíos mo dhóthain
is aililiú
sa deireadh, gan éinne ag cur chugam ná uaim,
d'éirigh liom dosaen go leith buidéal den *Phinot Noir*
is fearr
a thabhairt thar na fir chustaim.

An
Leannán Sí

An Coilichín Márta

Captaen loinge a ghaibh an treo,
dúirt sé anois le hoíche nó dhó
go bhfuil a bhád ar ancaire sa chuan
ag brath le taoide is go bhfaca sé an tóin
ag teacht sa spéir os cionn mo thí
is an splanc craorag istigh ina chroí.

Deir sé ná feaca sé a leithéid roimhe riamh.
D'iarr sé orm ar bhraitheas aon ní as an tslí.
Dúrtsa nár mhothaíos cóch gaoithe ná fuaim báistí,
nár ghíosc an doras is nár chrith frámaí
na bhfuinneog ach timpeall a dó dhéag
gur éirigh an coileach is gur lig sé seacht nglaoch.

"Ó díol liom é", a deir sé. "Ní dhíolfad ná mé!
Cuirimse mo bhotháinín faoi chumraí Dé
is mo choilichín Mhárta. An sonas isteach
is an donas amach!" Bhailibh sé leis
is a theanga ina phluic.

Is má thagann sé aríst chugam
tá's agam a chleas.
Má ghaibheann sé bog is cruaidh orm
ní dhéanfaidh sé an bheart.
Mar ní dhíolfadsa mo choilichín Márta le haon chaptaen loinge,
– dá bhreátha é!

Filleadh na Béithe

A dúrtsa leis an dia
  mar a déarfadh mo leanaí
  i bpatois Ghaelscoileanna Bhaile Átha Cliath,
"Féach anseo, tusa, faigh as!

Níl sé féaráilte.
Táim tar éis bháis, geall leis,
mo sparán is lán mo mhála goidte.
É seo go léir tíolactha
mar íbirt dhóite ar t'altóir-se
is cad tá fachta agamsa
ina éiric-san?".

Is an chéad rud eile
do sheol sé chugam tú.
Siúlann tú isteach im chroí
chomh neafaiseach, chomh haiclí
amhail is nár fhágais riamh é
ar feadh na mblianta.

Suíonn tú sa chathaoir
uilleann is compordaí
agus is teolaí le hais
na tine. Tá sceitimíní
áthais orm timpeall ort.

Faoi mhaide boilg an tsimléara
is faoi chabha an staighre
geofar láithreach
na coda beaga.

An Boghaisín

D'fhás an boghaisín
de réir a chéile
tríd an scamall báistí.
Ní raibh ann ar feadh i bhfad
ach léas i mbun na spéire
ag adhnadh spréachanna
is ag leathadh brainsí.

Do dh'eitil dhá cholúr coille
thar raon mo radhairce
gan choinne as clais maingealaí
is nuair a fhéachas suas arís
bhí an stua méadaithe
ina fháinne déanta,
ina leathchiorcal cruinn.

D'fhásais-se leis orm
ar an gcuma chéanna
de réir a chéile, diaidh ar ndiaidh.
Ní raibh ionat ar dtúis
ach fear mar éinne acu
nárbh fhiú liom féachaint
id dhiaidh sa tslí.

Ach baineadh tuisle asam
i mbarr an staighre
is do thiteas síos i ndiaidh mo chinn
is nuair a d'fhéachas suas arís
bhís i do dhia beag déanta
do shúile ina gcaortha ag teilgean gathanna nimhe.

Anois tánn tú ag marcaíocht ar cheiribín is ag eitilt ar eiteoga an aeir.
Is féach, mar a shíneann boghaisíní ó bharraíocha do mhéar.

Chomh Leochaileach le Sliogán

Chomh leochaileach le sliogán
a caitheadh suas ar chladach
seasaim lasmuigh ded dhoras
san iarnóin.
Clingeann an clog i bhfad istigh
go neamheaglach
is baineann macalla as na seomraí folmha
im chomhair.

Istigh sa chistin tá raidió
ag stealladh popcheoil
is músclaíonn spré bheag dóchais
istigh im bhráid
ach nuair a chuimhním arís air
is cleas é seo i gcoinne robálaithe
agus is fada fuar folamh an feitheamh agam
gan truist do choiscéime ar an bhfód.

Clingim arís
is éiríonn fuaim mhacallach
trés na seomraí arda,
suas an staighre cláir.
Aithním trí pholl na litreach
ar na toisí Seoirseacha
struchtúr laitíse an chriostail
a cheileann nó a nochtann Dia.

Tá rós dearg i gcróca
ar bhord sa halla.
Tá geansaí ag crochadh
leis an mbalustráid;
tá litreacha oscailte ina luí timpeall
ar an urlár go neafaiseach
i mball ar bith
níl blas ná rian díot le fáil.

Istigh sa seomra suite
ar an gclabhar
tá cárta poist a tháinig chugat aniar
ód ghrá geal. Maíonn sí
gurb é seo an chéad phost nó litir
a gheobhair id thigh nua.
Is air tá radhairc gnáthúil turasóireachta
de Bhrú na Bóinne.

Tagairt é seo a thuigeann tú
gan amhras
don *"Hieros gamos"*
an pósadh a deineadh ar Neamh.
Is lasmuigh de chiorcal
teolaí bhur lánúnachais
tá fuar agam fanacht sa doras
im dhílleachtaí, im spreas.

Tá oighear á shéideadh
trí phóirsí fada gaofara
sa phaibhiliún
is íochtaraí im lár.
Tá na seolphíobáin mhothála
reoite ina stangadh.
Tá tonnbhualadh mo chroí
mar fharraigí aduain.

Is mo léan mo cheann mailéid,
mo chloigeann peirce,
os comhair an dorais iata seo
cad leis a bhfuil mo shúil?
Nuair a chlingeann an clog
ar chuma an Aingil Mhuire
ab ann a cheapaim go n-osclóidh na Flaithis
is go dtuirlingeoidh orm colúr?

Mar is istigh sa sícé amháin
a tharlaíonn míorúiltí
an cheana, an mhaithiúnachais
is an ghrá
mar is i dtaibhrithe amháin
a bhíonn an ghrian is an ré ag soilsiú
le chéile is spéir na maidne
orthu araon ag láú.

Clingeann na Cloig

Clingeann na cloig rabhaidh ar na báid
solais atá ar ancaire sa chuan
faid a shiúlaimid neafaiseach go leor amach an cé
ag ithe uachtair reoite i lár an lae.

Siúlaímid lasmuigh den dtonnchosc cé go bhfuil stoirm
á bagairt is caipíní bána ar fhormhór na dtonn.
Tá suathadh maith ins an uisce is trasna an chuain
Binn Éadair ag craitheadh a chinn go magúil os a chionn.

I bhfad uainn ag íor na spéire tá long trí chrann,
rud neamhgnách go maith. Deirimse gurb é Manannán
atá ag marcaíocht a chapaill thar mhachairí bláfara a ríochta
is nach fada go dtiocfaidh sé suas chugainn is fiafróidh
an bhfeacamair aon rian
des na muca mara a goideadh inné uaidh ag aonach sa Bhreasaíl.

Gáirimid beirt. Aithnímid go maith an scór –
ár samhlaíocht ag dul de hop, scip, cosabacóid
thar spéir na hearraíochta, thar an ngnáthúlacht laethúil.
Tá an draíocht os comhair ár súl míle uair

sa ló. Anois féin laistiar dúinn tá spící na sáipéal
ag síneadh i dtreo na spéire le gach scalladh ón ngréin.
Tá Halla an Bhaile ag aibhliú faoina aolchloch liathbhán
is na tithe lóistín ag spréacharnaigh faoina ndathanna milseán.

Leagann an radharc amach mé. Leagann fós
an spréach ghorm a lasann i ndoimhneas do dhá shúl mhór.
Tugann mo chroí aon phreab bheag éidreorach amháin
faid a chlingeann na cloig rabhaidh ar na báid.

An Ghríobh Ingneach

D'éirigh an t-eitleán, éan mór groí bán
go malltriallach, malluaibhreach os cionn an naprúin
coincréide san aerfort is rug léi mo leannán
ina bolg agus é ag triall chun Aimeiriceá.
Níor thaoiseach tíre é, ná gaiscíoch airm
ná maith ná móruasal a choinneodh an domhan ina dhorn
ach fear mar éinne acu, leis an ndifríocht seo amháin:
go bhfuil mo chroí is m'ae istigh ina lár.

Is do chuimhníos láithreach ar éan úd na seanscéal
a thug an laoch ar thuras go dtí an Domhan Toir.
D'imigh sé leis go tiubh is go hard
mar a bheadh gaoth Mhárta de dhroim sléibhe.
Do bheathaíodh an laoch é le smutaíocha dá chorp féin
nuair a thagadh siléig is ocras air
mar do bheadh an t-ualach rómhór air is róthrom
mura bhfaigheadh sé le n-ithe flúirse den bhfeoil úr
a chuireadh misneach is anam ann.

Is éirigh, a *ghriffin*, a éin mhóir ghroí fhiain
na filíochta is cuir aniar ar do dhrom ort mé.
Seo smut de mo cheathrú is smut eile de mo chliathán
mar lón bídh ar an aistear duit.
Seo dhuit mo ghualainn, go sáróm an polla ard
atá faoi fhearsaid na cruinne féin
is ní thiocfam abhaile go n-aimseod mo leannán
is go bhfaighead mar leath leapan é.

Blodeuwedd

Oiread is barra do mhéire a bhualadh orm
is bláthaím,
cumraíocht ceimice mo cholainne
claochlaíonn.
Is móinéar féir mé ag caithreáil
faoin ngréin.
Aibíonn faoi thadhall do láimhe
is osclaíonn

mo luibheanne uile, meallta
ag an dteas;
an sú talún is an falcaire fiain
craorac is obann, cúthail
i measc na ngas.
Ní cás duit
binsín luachra a bhaint díom.

Táim ag feitheamh feadh an gheimhridh
le do ghlao.
D'fheos is fuaireas bás
thar n-ais sa chré.
Cailleadh mo mhian collaí
ach faoi do bhos
bíogaim, faoi mar a bheadh as marbhshuan,
is tagaim as.

Soilsíonn do ghrian im spéir
is éiríonn gaoth
a chorraíonn mar aingeal Dé
na huiscí faoi.
Gach orlach díom ar tinneall
roimh do phearsain,
cáithníní ar mo chroiceann,
gach ribe ina cholgsheasamh
nuair a ghaibheann tú tharam.

Suím ar feadh stáir i leithreas
na mban.
Éiríonn gal cumhra ó gach orlach
de mo chneas
i bhfianaise, más gá é a thabhairt
le fios,
fiú barraí do mhéar a leagadh orm
is bláthaím.

Fear

Bain díot do chuid éadaigh
ceann ar cheann,
do threabhsar is do bheist
líontánach liath.
Cuir do chuid spéaclaí
ar an gclabhar
in aice led chíor
is do haincisiúr.

Is siúil chugam trasna
an urláir ar dheis
go bun na leapan
chun go bhfaighead deis
mo shúile a shíneadh
thar an niamh dorcha id chneas,
thar na míorúiltí is na háilleachtaí
id chabhail.

Is ná bí grod ná giorraisc
liom anocht,
ná fiafraigh díom "cén chaoi?"
ná brostaigh ort,
tuig nach lú a fhéadaim
i bhfianaise do dhea-nocht
mo shúile a líonadh
ná iad a dhúnadh ort.

A fhir atá chomh fada
as do ghéag,
chomh leathan as do ghualainn
is do thaobh,
fainge fionn fireann
ó bhaitheas go bearradh iongan
is do bhall fearga
cumtha dá réir,

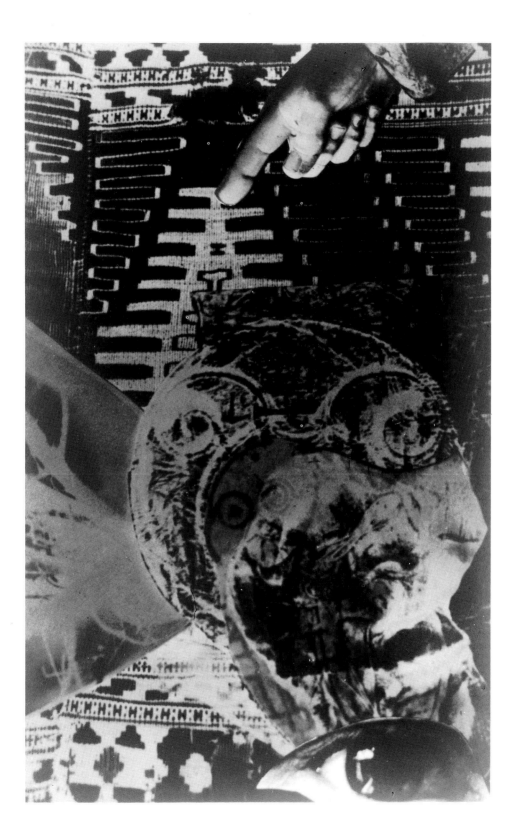

ba chóir go mórfaí tú
os comhair an tslua,
go mbronnfaí ort
craobh is próca óir,
ba chóir go snoífí tú
id dhealbh marmair
ag seasamh romham
id pheilt is uaireadóir.

Gan Do Chuid Éadaigh

Is fearr liom tú
gan do chuid éadaigh ort –
do léine shíoda
is do charabhat,
do scáth fearthainne faoi t'ascaill
is do chulaith
trí phíosa faiseanta
le barr feabhais táilliúrachta,

do bhróga ar a mbíonn
i gcónaí snas,
do lámhainní craiceann eilite
ar do bhois,
do hata *chrombie*
feircthe ar fhaobhar na cluaise –
ní chuireann siad aon ruainne
le do thuairisc,

mar thíos fúthu
i ngan fhios don slua
tá corp gan mhaisle, gan mháchail
nó míbhua,
lúfaireacht ainmhí allta,
cat mór a bhíonn amuigh
san oíche
is a fhágann sceimhle ina mharbhshruth.

Do ghuailne leathna fairsinge
is do thaobh
chomh slim le sneachta séidte
ar an sliabh;
do dhrom, do bhásta singil
is id' ghabhal
an rúta
go bhfuil barr pléisiúra ann.

Do chraiceann atá chomh dorcha
is slim
le síoda go mbeadh tiús veilbhite
ina shníomh
is é ar chumhracht airgid luachra
nó meadhg na habhann
go ndeirtear faoi
go bhfuil suathadh fear is ban ann.

Mar sin is dá bhrí sin
is tú ag rince liom anocht
cé go mb'fhearr liom tú
gan do chuid éadaigh ort,
b'fhéidir nárbh aon díobháil duit
gléasadh anois ar an dtoirt
in ionad leath ban Éireann
a mhilleadh is a lot.

Dún

Id ghéaga daingne
ní bhfaighidh mé bás choíche,
ní thiocfaidh orm aon sceimhle,
ní líonfaidh orm anbhá.
Ní chloisfidh mé
ag gíoscán ins an oíche
fearsad na cairte fuafaire
a ghluaiseann trí pháirc an áir.

Is dún nó daingean iad
do ghéaga i mo thimpeall,
do ghuailne leathana
am chosaint ar a lán.
Ag cuardach fothaine dom
ó gharbhshíon na cinniúna
tá gairdín foscaidh le fáil
idir do dhá shlinneán.

Is sa ghairdín sin
tá beacha is ológa,
tá mil ar luachair ann
is na crainn go léir faoi bhláth
i dtús an fhómhair
mar ní thagann aon gheimhreadh
is gaoth an tseaca
ní luíonn air anáil.

Is lasmuigh dínn
tá críocha is ciníocha
ag bruíon is ag bunú sibhialtachtaí,
ag puililiú ar an gclár.
Dá mbeadh ceithre creasa
na cruinne in aon chaor lasrach,
dá n-imeodh an cosmos
in aon mheall craorag amháin

ba chuma liom, do ghéaga
a bheith im thimpeall
níorbh ann do scáth nó eagla,
níorbh ann don ocras riamh.
Nuair a fhilleann tú mé
go cneasta isteach id bhaclainn
táim chomh slán sábháilte
leis an gcathair ard úd ar shliabh.

Coinnigh go daingean mé
laistigh den gciorcal draíochta
le teas do cholainne,
le teasargan do chabhaile.
Do chneas lem chneas,
do bhéal go dlúth lem béalaibh
ní chluinfead na madraí allta
ag uallfairt ar an má.

Ach níl in aon ní ach seal:
i gcionn leathuaire
pógfaidh tú mé ar bharr m'éadain
is casfaidh tú orm do dhrom,
is fágfar mé ar mo thaobh féin
don leaba dhúbailte
ag cuimhneamh faoi scáth do ghuailne
ná tiocfaidh orm bás riamh roimh am.

An Bhean Mhídhílis

Do phioc sé suas mé
ag an gcúntúirt
is tar éis beagáinín cainte
do thairrig deoch dom
nár eitíos uaidh
is do shuíomair síos
ag comhrá.
Chuamair ó dheoch go deoch
is ó *joke* go *joke*
is do bhíos-sa sna trithí aige
ach dá mhéid a bhíos ólta
ní dúrt leis go rabhas pósta.

Dúirt sé go raibh carr aige
is ar theastaigh síob abhaile uaim
is ní fada ar an mbóthar
nó gur bhuail an teidhe é.
Do thairrig sé isteach ag *lay-by*
chun gurbh fhusaide mé a phógadh.
Bhí málaí plaisteacha ar na sceacha
is bruscar ag gabháilt lastuas dóibh
is nuair a leag sé a láimh idir mo cheathrúna
ní dúrt leis go rabhas pósta.

Bhí sé cleachtaithe deaslámhach
ag oscailt cnaipí íochtair mo ghúna,
ag lapadaíl go barr mo stocaí
is an cneas bog os a gcionn san
is nuair a bhraith sé
nach raibh bríste orm
nach air a tháinig giúmar
is cé thógfadh orm ag an nóiméad sin
ná dúrt leis go rabhas pósta.

Do bhain sé de a threabhsar
leis an éirí a bhuail air
is do shleamhnaigh sall im shuíochánsa
is do tharraing sé anuas air mé
is nuair a shuíos síos air go cúramach
is gur mharcaíos thar an sprioc é
ba é an chloch ba shia im phaidrín
a rá leis go rabhas pósta.

Bhí mus úr a cholainne
mar ghairdín i ndiaidh báistí
is bhí a chraiceann chomh slim
chomh síodúil sin lem chneas féin
agus is mór an abairt sin
is nuair a bhíos ag tabhairt
pléisiúra dhó
d'fhéach sé sa dá shúil orm
is fuaireas mothú pabhair is tuisceana
nár bhraitheas ó táim pósta.

Bhí boladh lofa ós na clathacha
is dramhaíl ag bun na gcrann
is bhí an port féarach taobh liom
breac le cac gadhar na gcomharsan
is nuair a thráigh ar an éirí air
tháinig aithis is ceann faoi air
is nár dhom ba mhaith an mhaise ansan
ná dúrt leis go rabhas pósta.

Do bhuaileas suas an casán
lem scol amhráin is lem phort feadaíola
is níor ligeas orm le héinne
an eachtra a bhí laistiar díom
is má chastar orm arís é
i ndioscó nó i dteach tábhairne
ar ghrá oinigh nó réitigh
ní admhód riamh bheith pósta.

An ndéanfása?

71

An Taobh Tuathail

Ar chuma na gealaí
in airde láin
seolann tú isteach
an seomra chugam.
Tánn tú i do mháistir
ar a bhfeiceann tú ann,
scáileanna an troscáin
is tonnlíonadh mo chroí bhig aiteasaigh.

Taoi ólta beagán,
tá leathmhaig ar do cheann,
do gheámaí is do gheáitsí
iomarcach.
Ní thugann tú faoi ndeara
go bhfuil do gheansaí bán
in aimhréidh is é iompaithe
taobh tuathail amach agat.

Tusa atá chomh cúramach
faoi do chom,
chomh feistithe is chomh néata
i do phearsain –
níl uaim le déanamh
ach siúl amach sa ghairdín
is suí ar an lána
is mo chumha a chaí leis an ngealaigh.

Mar ochón, mo chrá
ach is fíor an rá
go bhfuil trí gháire
níos géire ná an bás fhéin –
gáire cú fhealltaigh,
gáire sneachta ag leá,
is gáire do leannáin
iar luí le bean eile dhó.

Stigmata

Cé scaoil ar dtúis
isteach im thigh
an bás dorcha, an sciathán leathair?
Cé dúirt os íseal
faoina smig,
"mo thiarna is mo mháistir"?

Cén lúb ar lár,
cén cnag sa chlár,
cén ribe scoilte
gur ghaibh sé tríd?
Cén siúinéir diabhail
a d'fhág an dual
ar leathadh i bpainéal istigh?

Tá mus cumhra óna bhéal.
Tá flós fómhair ina bholadh.
Tá milseacht shiúcra ina anáil
ar leathadh
ar fuaid an tseomra.

Mar dhá ghrian dhearga
ag dul faoi
ag íor na spéire
faoi scailp cheo
a shúile dearga im thaibhrí
ag cur srutháin oigheartha
trí mo bheo.

A theanga ag monabhar go bog
ag sioscadh ar an dteileafón.
Laistiar dem ghualainn braithim rud
am thimpeallú is éiríonn romham
mar philéar tine ins an oíche,
mar cholún deataigh ins an ló.

Is anois don gcéad uair tuigim
fáth mo lagachair ar maidin.
Cuardaím, leath i nganfhios dom fhéin,
rian na bhfiacal ar mo mhuineál
is tagaim ar ghiotaí páipéir
scriobláilte cois na leapan.

73

An Prionsa Dubh

Taibhríodh dom in aois coinlíochta
i mo leaba chúng sa tsuanlios aíochta
go rabhas i halla mór ag rince
i measc slua mór de mo dhaoine muinteartha,
le prionsa dubh.

Timpeall is timpeall do ghaibh an válsa,
bhí míobhán ar mo cheann le háthas,
ba mhear é a shúil, bhí a fhéachaint fíochmhar,
bhí bua gach clis i lúth is in aiclíocht
ag an bprionsa dubh.

Ach do plabadh oscailte an doras sa tsuanlios,
do chling soithigh níocháin, do lasadh soilse,
bhí bean rialta ramhar ag fógairt ''Moladh le hÍosa''
is do shuíos síos i lár an tsúsa is do ghoileas
i ndiaidh mo phrionsa dhuibh.

A dhreach, a mharc ní dhearmhadfad choíche,
a scáth ard baolach a bhíodh liom sínte,
mo bhuachaill caol in éag do mhill mé,
mo rí, m'impire, mo thiarna,
mo phrionsa dubh.

Is do m'iníon taibhríodh in aois a naoi di
gur oscail doirse in óstán draíochta
is duine éagsúil ag gach seomra acu á hiarraidh
is mar is dual máthar di (a chonách orm a thóg í) roghnaíonn
is toghann an prionsa dubh.

Is a iníon bháin, tóg toise cruinn dó,
ní maith an earra é, níl sé iontaofa,
is dúnmharfóir é, is máistir pionsa,
is sár-rinceoir é, ach cá ngabhann an rince
ach trí thinte ifrinn leis an bprionsa dubh.

Cuirfear faoi ghlas tú i gcás gloine iata,
nó faoi mar a bheadh doras rothlánach ina mbeifeá greamaithe
gan cead isteach nó amach agat ach an suathadh síoraí
soir agus siar tré phóirsí an tsíce
má ligeann tú a cheann leis an bprionsa dubh.

Nó beir mar a bhíos-sa i néaróis sínte
ceithre bliana déag, is mé spíonta le pianta
faoi mar a thitfinn i dtobar ar chuma Ophelia
gan neach beo i mo ghaobhar, ná éinne a thuigfeadh
toisc gur thugas ró-ghean do mo phrionsa dubh.

Nó gur siúlas amach ar an nduimhche oíche duibhré
is dar an Mháthair Mhór is dar déithe mo mhuintire
a bhraitheas i mo thimpeall do thugas móid agus briathar
go dtabharfainn suas an ní ab ansa liom ach mé a shaoradh ón bpian
    seo
– cén cás ach dob é sin mo phrionsa dubh.

Mar dob é an bás é, ina luí i luíochán
in íochtar m'anama, ins an bpaibhiliún
is íochtaraí i mo chroí, de shíor ar tí
mé a ídiú gan mhoill is a shá ins an duibheagán
mar sin é an saghas é, an prionsa dubh.

Mar sin, a mhaoineach, dein an ní a deir do chroí leat,
toisc gur ghabhas-sa tríd seo leis ná bíodh aon ró-imní ort.
Ní sháróidh an bás sinn, ach ní shaorfaidh choíche,
ní lú ná mar a aontóidh an saol seo le chéile
sinne, agus ár bprionsa dubh.

An Fhilíocht

Éinín clipithe a thuirling
lá
ar thairsing na fuinneoige
chugam.
N'fheadar cad as a dtáinig sé
nó cá
ngaibh sé nuair a fhág sé
fothain mo rúm.

Créatúirín sciotaithe
ó Chríocha Lochlann,
do dhein sé nead dó fhéin
go faicheallach
istigh i mo bhaclainn,
do bhailigh fuinneamh, fuinneamh
nó gur chan sé scol
a sheol i dtaibhreamh mé
isteach i dtír nárbh eol

dom soir thar siar ná pé
áit go rabhas ag dul,
arbh lá nó oíche é
nó cad as a dtáinig an ceol,
i dtaobh thoir don ngealaigh
is i dtaobh thiar don ngréin
i ngairdín a bhí lán
de shútha craobh.

N'fheadar cár imigh sé nó fiú
cathain.
Bhí sé eitilte nuair a dhúisíos
ar maidin.
Osclaím comhla na fuinneoige
is ar an dtairsing
fágaim méisín fíoruisce
is gráinní ruachruithneachtan.

Mac Airt

Aréir
chuaigh béir
in airde orm
i dtaibhreamh.

Plúchta le clúmh,
bheist fionnaidh ag dul
sa scornach orm,
búir dhúr a chuala
in ionad
clog binn na n-aingeal.

Ach is ait an tslí
a chomhlíontar reachta Dé.
Is fánach an áit a gheofá
breac, is fánaí fós
an chuma ina n-ionchollófaí
Críost ionat.

Is má bheirtear mac dom
mar thuar an tAingeal,
ní Dáibhí a thabharfad air
ná Immanuel.

Ná Íosa ach oiread –
tá sé sin ann cheana.
Sé an t-ainm a bhaistfead
air ná Cormac.

fonóta feimineach bliain ina dhiaidh sin:

Mar a tharlaíonn,
séard a bhí agam sa deireadh
ná iníon.
Tá clúmh mín ar gach orlach
dona corp
is ní baol di –
tá sí ciotarúnta grabhsach.

Mo Dhá Lugh

Tánn sibh tagaithe ag triall ar an rinceoir dubh,
mo dhá Lugh, mo phíolóití eitleán.
Deireann sibh go b'ann a deineadh í a fhuadach uaibh
ag Sínigh dhanartha, sceimhlitheoirí ghruama.

Déanfad mo dhícheall díbh, tabharfadsa chugaibh í.
Béarfad ón amharclann ar láimh in bhur láthair í,
is imeoidh sibh léi trí chrannaibh na gréine
is trí ardaibh na spéire ar mire in bhur scairdeitleán.

Is nuair a théim thar n-ais go híochtar na hamharclainne,
mo chroí lán de líonrith, is eagla mo mhúchta orm
tugann an bheirt Shíneach dom dhá eochair –
ceann beag óir is ceann eile atá an-mhór.

Mise ag Tiomáint

Raghainn thar an Bhóinn leat,
raghainn go Tír Eoghain leat,
raghainn go Gaoth Dobhair leat,
a fhir istigh im chroí.

Ach tá gnó beag le críochnú ar dtúis;
mo mhún agam le scaoileadh síos
is siogúrat le dreapadh suas
chun teacht ar an leithreas poiblí.

Is tá cailín óg i mo choinne anuas
í scaoilte, bríomhar, lán de lúth
agus tá's agam gur mise í
tar éis mo ghnó a chur i gcrích.

Anois druid sall ansan sa suíochán,
mar tar éis an tsaoil, is liomsa an carr,
is ní chlúdóidh an t-árachas
aon timpist fan na slí.

Sea, raghad tríd an sáile leat,
ó Dhoire go Cill Airne leat,
raghainn ar aistear fada leat,
ach is mise an tiománaí!

Clabhsúr

. . . is ansan,
lá,
do bhailibh an dia leis.

D'éirigh ar maidin le fáinne an lae ghléigil,
rug ar a rásúr, a scuab fiacal is a *thravelling bag*
is thug dos na bonnaibh é.
Bhí daoine lasmuigh de thigh Challaghan sa Daingean
tráthnóna Sathairn a chonaic ag gabháilt soir é
agus paca ar a dhrom.

Chualasa leis, mar a bheadh i dtaibhreamh,
é ag gabháilt thar bráid,
a scol amhráin is a phort feadaíola aige
faoi mar a bheadh óbónna i dtaobh thíos den stáitse
– "is é an dia Hercules, a ghráigh Anthony
atá á fhágaint" –

Anois táim folamh, is an poll seo i mo lár
is n'fheadar cé líonfaidh é
nó cad leis? Dá mb'áil liom é a leanúint
ins an mbóithrín achrannach . . .
ach ó, is fada fairsing í Éire
is tá iallacha mo bhróg gan snaidhm.

Feis

Immram

1. Cathair Dé Bhí

An té a bhreac i scrioptúr ar bith
nach amhlaidh atáimid tar éis teacht go dtí
rudaí somhínithe; ar chlé scamaill dhúdhorcha
agus duifean agus spéirling, blosc stoic agus glór gártha
a thugann ar lucht a éisteachta luí síos is impí
is triall ar thoscairí a sheachadadh ag iarraidh anacal anama.
An té a bhreac an méid sin
do bhreac sé an diabhal d'éitheach! Le dhá ghlúin nó trí
táimid gafa trí róipíní – dhá chogadh dhomhanda,
spalladh triomaigh is gortaí, sé mhilliún Giúdach
ídithe ina n-íobairt dhóite, gan trácht ar cad
a dhein a dtaoisigh féin le muintir Chambodia . . .
is gan sinn tagaithe céim níos cóngaraí do Shliabh Shíón,
nó Cathair Dé Bhí, an Iarúsailim neamhaí.

Uaireanta chím uaim í, ag íor na spéire
mar oileán, áit nach raibh éinne roimhe riamh.
Uaireanta eile taibhsítear dom í i lár an ghaineamhlaigh,
suite ar bharr stocán cloiche, in áit éigin
mar Dakota, nó Nevada nó Wyoming.

2. An Turas Farraige d'Oíche

Bhí cuid de mo mhuintir romham
a thóg a seolta ar an dturas farraige seo cheana.
D'fhágadar litreacha faoi shéala sa tigh lóistín dom
ach nuair a thriailim iad a léamh ná leánn an scríbhinn orm!
Deir bean an lóistín liom brostú, go gcaithfead bheith ag glanadh.
"Féach suas", ar sí "ar an ngealaigh. Tá sí in airde láin
is ní fada eile go mbeidh an taoide ag casadh."
Is fóill airiú, a chóistóir, dein deabhadh, dein deabhadh.
Cuir uait do chaint ar ghaiscíocht pharamíliteach.
Cuir umat do libhiré is do hata cairilíneach
is tabhair an fhuip dos na capaill. Seo thíos uainn an crosaire,
crosaire na gceithre rianta. Tá an bóthar ar chlé ag dul
go Cathair na nGairdíní. Tógaimis an bóthar ar dheis
go Cé na mBád.

3. An Bhreasaíl

Cloisim tú
ag glaoch orm
san oíche

ag rá liom teacht
go dtí do oileán
draíochta.

Fuaimníonn do ghuth
mar thoirneach
thar an mbóchna.

Is mórthaibhseach
do ghlór
agus is naofa –

''Tair chugam, tair
chugam, éinne
atá traochta.''

4. *Céad Amharc*

Zeppelin a bhíos
nuair a fuaireas mo chéad amharc
ar an oileán,
is mé i mo luí i leaba ospidéil
go mór faoi thionchar drugaí suain.

Do sheolamair os a chionn in airde
is d'fhéach síos ar an bhféar glas
a bhí ag teacht go glúine ar na beithígh ann
is é lán suas d'ollmhaitheas.

Chonaiceamair leagan amach na bhfeirmeacha
is suíomh na mbailtí
is tháinig na hoileánaigh amach chugainn i naomhóga
ag fáiltiú romhainn le gach saghas bídh.

Tá an t-oileán lán de bhláthanna
is de chnónna aduaine
agus is féidir leis bogadh leis ar fuaid na cruinne
ós na tíortha teo suas go dtí na farraigí fuara.

5. An tOileán

Nuair a nocht an t-oileán ar dtúis
mar léas i mBun Cárthaí, i gceantar farraige
nach raibh aon ní roimhe riamh ann
do dhein muintir na háite iontas is scéal nua de.

Do líon an domhan mór is a mháthair
isteach i gcairteacha
is mar a dúirt an fear i dtaobh an chaca mhóir
a dhéanfá i lár an bhóthair
gan ach é a chur amach ar Raidió na Gaeltachta –
do thángadar anoir is aneas is aniar is aduaidh
ag féachaint air.

Bhí scuainte mór gluaisteán
ag gabháilt siar os cionn dhá mhíle slí
ar dhá thaobh de bhóthar na faille.
Chaith cuid acu beaiceáil suas i gcoinne an aird
le méid agus stuacaíocht an tráchta a bhí ina gcoinne.

Bhí cuid eile acu a chuaigh ar lár
i dTráigh an Choma
nuair a thriaileadar casadh ar an ngaineamh ann.
Cuireadh fios ansan ar tharracóir
chun iad seo a bhogadh
agus is amhlaidh a dhein seo cocstí ceart den obair.

Sa deireadh
caitheadh flít ghardaí a chur amach chucu
chun stiúir a chur orthu.
Dúnadh an bóthar sa tranglam
ach roimhe sin
dhein lucht díolta uachtar reoite is sceallóg
a mbuilín orthu.

6. Suíomh agus Ionad

Athraíonn sé seo ó lá go lá.
Uaireanta bíonn sé i bhfogas míle go leith don mBlascaod.
Uaireanta eile bíonn sé leath slí amach sa bhá.
Tá laethanta ann go dtagann sé chomh cóngarach san
gur dhóigh leat nár ghá
ach do láimh a shíneadh amach is do mhéaranta a leagadh air
(comhartha siúráilte báistí).
Tá cuma teochreasa air ar uairibh is nuair a d'fhéachfá sa
  chianradharcán
chífeá crainn phailme is banana ann.
Nuair a chonacsa é don gcéad uair
tuigeadh dom go raibh sé áit éigin amuigh san Aigéan Indiach.

7. Poiblíocht

Th'anam 'on diabhal ach níl aon teora leo!
   Oiread cleatarála ní raibh anseo timpeall
   ó tháinig an tóithín 'on Daingean,
nó ón uair a bhuail an bád lasta san, an Ranga
i gcoinne na gcloch thiar ar Leacacha an Rae,
go rabhthars feadh na hoíche ag coimeád galanna leis na mairnéalaigh
   inti
go dtí gur cuireadh bhuinseanna amach ar maidin chucu.

Caitheadh carrchlós nua a thógaint
ar fhaobhar na faille
a mbíonn de bhusanna is de thúranna ann.
Tá leithreasaí nua leis ann, d'fhearaibh is do mhnáibh
san ionad acmhainne is oidhreachta.
Díolann tú dhá phunt (leathphraghas: pinseinéirí is leanaí)
chun taispeántas a fheiscint
ar oileán nach bhfuil ann,
a mhiotaseolaíocht is a mhaoin,
a onnmhuirithe is a ainmhithe.

D'oscail an Taoiseach é.
Dúirt sé san óráid
gur mhaith leis a chur in úil
go háirithe is é, mar a déarfá, ina chomharsa
béal le cuan,
gur fhear sé fíor-chaoinfháilte
roimh mhuintir an oileáin
idir óg is aosta, idir fhearaibh agus mhnáibh
go dtí na ballaibh seo.
Is go bhféadfaí a bheith ag súil
amach anseo le haontas polaiticiúil
a raghadh chun tairfe gach éinne.

B'shin sarar chuaigh dream antrapeolaithe
i dtír ann
is tar éis taighde chruinn fhaidbhreathnach
(a mhair tréimhse deireadh seachtaine amháin)
do thángadar ar an dtuairim láidir
(d'aon ghuth)
go raibh na hoileánaigh raidghníomhach.

8. Teist Mhuintir Dhún Chaoin ar an Oileán

"Is an bhfuil an Bhreasaíl ann in aon chor?
A Bhab, cad déarfá?"

"B'fhéidir é.
Bhí fear agus bean ag maireachtaint anseo timpeall
tráth dá raibh is bhí beirt mhuirir orthu, buachaill is cailín.
Cailleadh an mháthair is bhíodh an t-athair
is an mac ar an bhfarraige gach lá, amuigh ag iascach
is an cailín ag cimeád an tí dóibh.
Thángadar abhaile lá is ní raibh aon rian di
le fáil. Bhí sí imithe, gan tásc ná tuairisc.
Blianta fada ina dhiaidh sin nuair a bhíodar amuigh ag iascach
do tháinig an ceo seo anuas orthu is nuair a ghlan sé
thángadar ar oileán in áit nach raibh aon cheann roimhe riamh.
Bhí an iníon istigh ann is chuir sí na fáiltí geala rompu."

"Is do tháinig sí abhaile leo, ab ea?"

"Ní dóigh liom é. Chaith sí fanacht ann."

9. Coco-de-Mer

Deir siad ar an oileán
go bhfuil saghas áirithe crainn
a shileann cnónna ábhalmhóra
coco-de-mer isteach sa toinn.

Tá cuid des na crainn fireann
is a thuilleadh acu mar mhnaoi
is maireann an dá threibh scartha óna chéile
i ndoirí difriúla sa bhfotharchoill.

Ach de réir an scéil oíche amháin sa bhliain
craitear cré de sheanphréamhacha nuair a éiríonn na crainn,
gluaiseann i bhfochair a chéile
is téann i mbun gnímh.

Buailtear géag ar ghéag ann,
ceanglaíonn rútaí ar bhrainsí
is éinne a chíonn an chúpláil
deintear de carn glóthaí

ar an dtoirt. Bhíos-sa is mo pháirtí
ag teacht abhaile déanach istoíche
nuair a chualamair an torann laistiar dúinn
is do dhruideamair isteach 'on chlaí.

Níor leomhamair ár gceannaithe a iontó,
meaits a lasadh ná oiread is corraí.
D'imigh na crainn tharainn de thruist láidir
go tulcanta talcanta talantur.

10. Greidhlic

Tráth go rabhas amuigh
  ar an oileán
    ba é ba mhó ba chúram dom ná
dreapadh suas is síos na failltreacha
ag bailiú greidhlice,

planda go bhfuil ainm chomh hálainn air
go bhféadfá an focal féin
a thógaint i do bhéal
is é a chogaint.
Díreach ag cuimhneamh air
tagann uisce trí sna fiacla
ar mhuintir an oileáin.

Geirgín nó cabáiste faille a ainm
oifigiúil i nGaolainn.

11. Cárta Poist Abhaile

Tá earraí ana-dhaor san áit seo.
Inné
bhíos ar mo shlí síos feadh na gcéibheanna
go caifé
nuair a chonac i bhfuinneog siopa
scata éanlaithe stuáilte.
Do chuimhníos láithreach ortsa, a chroí,
nuair a chonac an t-éan is mó is ansa leat,
an bonnán buí,
ina sheasamh suas cruinn díreach,
a mhuineál leata is cuma na scríbe air.
Cheapas go bpriocfainn suas é
ar neamhní
is go dtabharfainn mar fhéirín abhaile chugat é.
Ach nuair a d'fhiafraíos díobh cé mhéid é
gheit mo chroí.
Bhí sé i bhfad i bhfad
thar raon m'acmhainne.

12. An Tonn

Sarar bhris an taoide timpeall na mainistreach
is gur chuaigh sí faoi loch arís
fuaireas iasacht chapaill ráis ó fhear ó Chill Airne
is dheineas iarracht dul i dtír inti.
D'fhanas go maidin lae Bealtaine na seachtú bliana
nuair is mó a bheadh an t-oileán saor ó dhraíocht
is do thriomaigh an talamh siar go híor na spéire
leis an mallmhuir is mó a tháinig riamh.
Do chonac i bhfad uaim an ceathrar banphrionsa
ag siúl timpeall na cathrach
is brat síoda casta timpeall ar a ngualainn acu.
Thugas dos na tréinte é is na spoir don gcapall
is do sciobas ceann des na brait liom ón bhfalla
mar a ligeadar uathu iad agus iad ag cíoradh a gcinn.
Bhí liom mar ba dhóigh liom go dtí gur labhair
an guth laistiar dom de fhuaim thoirniúil is d'fhógair
"Lean í is bain di mo bhrat, a Thonn Tóime",
is d'éirigh an t-ólaí mór lomdíreach suas san aigéan.
Sin an méid is cuimhin liomsa de.
Nuair a dhúisíos arís bhíos luite ar shínteán
ag ceann staighre ospidéil. Bhí m'fhear céile ag a bhun
is é ag féachaint ana-shuaite faoin am gur thángas chugam féin.
Deir na daoine a bhí ar an bhfaill ag faire
gur thit an tonn anuas orm díreach is mé ag glanadh
amach líne barra na taoide is gur dhein sé dhá leath
den gcapall. Gur thiteas-sa is an leath tosaigh isteach
ar an dtír is gur tairrigíodh an leath eile siar síos.
N'fheadarsa faic ina thaobh seo.
Is fíor go gcaitheann siad taibléidí a thabhairt dom
toisc go bhfuil mo *nerves* ag cur go holc orm.
Is fíor in ainneoin gach cóir leighis go ndúisím
i lár na hoíche ag crith le himeagla
is mé ag brath faoi mar a bheadh falla mór de ghloine ghlas
chomh hard le tigh ag teacht mórthimpeall orm.
Is fíor gur ghlacas coll le radharc na mara
is ná téim a thuilleadh in aon ghaobhar don uisce.
Is fíor nach féidir liom bheith riamh im aonar
is go gcaitheann duine éigin a bheith i gcónaí faram.
Ach más fíor, tá aon cheist amháin agam,
ceist nach féidir le héinne a fhreagairt – CÁ BHFUIL AN BRAT
AGUS CÉ THÓG UAIM É?

13. Fó Thoinn

Cá bhfuilim?
Conas go bhfuil sé chomh ciúin, chomh huaigneach?
Nuair a thángas isteach san áit seo ar dtúis
bhí sé lán go barra le daoine muinteartha.
Bhí rince, ceol is spórt ann
is tarrac ar bheoir is ar fhíonta
ach táim fágtha anois i mbun siopa
is gan de chuideachta agam ach an dall sa chúinne.
Is go fíorannamh a bhíonn aon chuairteoirí againn
is ní thagann éinne ar mo thuairisc
is fiú an fodhuine a thagann ó am go ham
bíonn siad dall aineolach ar a gcúram.
Do tháinig fear de Mhuintir Shé anseo anuas
ní fadó ó shin is dúirt an dall leis,
"Tair i leith anseo chugam, a Mhic Uí Shé,
tair i leith anseo, go gcroithfidh mé láimh leat."
Do dheineas comharthaí dó gan a láimh a thabhairt
is do shíneas chuige ina ionad barra iarainn.
Do dhein an dall dhá leath den mbarra thar a ghlúin
is gháir ina shlí mhailíseach fhéinig,
"Ba mhaith láidir an spanla láimhe a bhí agat,
A Mhic Uí Shé", ar sé is na trithí air.
Ansan dúrt leis an leaid go raibh a rogha aige
ar aon rud sa tsiopa go dtiocfadh a láimh timpeall air.
Bhí sé ag féachaint is ag breathnú ar gach aon rud san áit
is mé ag seasamh ar a aghaidh amach ag cur an dá shúil tríd.
Níor thuig sé in aon chor cad a bhí i gceist agam:
gur mé fhéin ba chirte dhó a thabhairt leis.
Is cad deirir gurb é an rud ar ar luigh a shúil
ná culaith aidhleanna, idir chasóg is treabhsar.
Thug sé leis iad go lúcháireach, á rá go mbeidís 'riúnach
ar an bhfarraige. Ar sin de bhuíochas
ar mhéid mo mhaitheasa dó, ag sábháilt na láimhe air!
Fearaibh!

14. Beirt Fhear

Nuair a tháinig an bád i radharc an oileáin
ba dhóigh leat gurb é dug na Gaillimhe é.
Bhí fear ina shuí ag ceann an ché
is a dhá chois ar sileadh le fánaidh aige.
Bhí fear eile ag máirseáil suas is síos
is níorbh aon an-earra é.
Dúirt an captaen leo dul síos faoin ndeic
is aibhleog nó spré den dtine a fháil.
Nuair a chonaic fear na máirseála an spré
bhí na haon mhallacht aige.
Níor theastaigh uaidh an spré a chur i dtír
ach ba chuma leis an bhfear eile faoi.
"Cuir i dtír é is ná géill dó,"
a sméid sé i leith orthu.
Ach ansan dúirt treasnálaí éigin ar an mbád
nach spré in aon chor ach mám chré
ba chóir a chaitheamh leis. Bhí raic ansan.
I lár na hargóna i dtaobh spré nó cré
do clúdaíodh an t-oileán faoi bhrat ceo
is n'fheacthas a thuilleadh aon ruainne dhó.

Feis

Feis

I

Nuair a éiríonn tú ar maidin
is steallann ionam
seinneann ceolta sí na cruinne
istigh im chloigeann.
Taistealaíonn an ga gréine
caol is lom
síos an pasáiste dorcha
is tríd an bpoll

sa bhfardoras
is ri3ann solas ribe
ar an urlár cré
sa seomra iata
is íochtaraí go léir.
Atann ansan is téann i méid
is i méid go dtí go líontar
le solas órga an t-aireagal go léir.

Feasta
beidh na hoícheanta níos giorra.
Raghaidh achar gach lae i bhfaid is i bhfaid.

II

Nuair a osclaím mo shúile
ag teacht aníos chun aeir
tá an spéir
gorm.
Canann éinín aonair
ar chrann.
Is cé go bhfuil an teannas
briste
is an ghlaise
ídíthe ón uain
is leacht meala leata
mar thúis
ar fuaid an domhain,
fós le méid an tochta
atá eadrainn
ní labhrann ceachtar againn
oiread is focal
go ceann tamaill mhaith.

III

Dá mba dhéithe sinn
anseo ag Brú na Bóinne:
tusa Sualtamh nó an Daghdha,
mise an abhainn ghlórmhar,

do stadfadh an ghrian is an ré
sa spéir ar feadh bliana is lae
ag cur buaine leis an bpléisiúr
atá eadrainn araon.

Faraoir, is fada ó dhéithe
sinne, créatúirí nochta.
Ní stadann na ranna nimhe
ach ar feadh aon nóiméad neamhshíoraí amháin.

IV

Osclaíonn rós istigh im chroí.
Labhrann cuach im bhéal.
Léimeann gearrcach ó mo nead.
Tá tóithín ag macnas i ndoimhneas mo mhachnaimh.

V

Cóirím an leaba
i do choinne, a dhuine
nach n-aithním
thar m'fhear céile.
Tá nóiníní leata
ar an bpilliúr is ar an adharta.
Tá sméara dubha
fuaite ar an mbraillín.

VI

Leagaim síos trí bhrat id fhianaise:
brat deora,
brat allais,
brat fola.

VII

Mo scian trím chroí tú.
Mo sceach trím ladhar tú.
Mo cháithnín faoim fhiacail.

VIII

Thaibhrís dom arís aréir:
bhíomair ag siúl láimh ar láimh amuigh faoin spéir.
Go hobann do léimis os mo chomhair
is bhain greim seirce as mo bhráid.

IX

Bhíos feadh na hoíche
ag tiomáint síos bóithre do thíre
i gcarr spóirt béaloscailte
is gan tú faram.
Ghaibheas thar do thigh
is bhí do bhean istigh
sa chistin.
Aithním an sáipéal
ag a n-adhrann tú.

X

Smid thar mo bhéal ní chloisfir,
mo theanga imithe ag an gcat.
Labhrann mo lámha dhom.
Caipín snámha iad faoi bhun do chloiginn
dod chosaint ar oighear na bhfeachtaí bhfliuch.
Peidhleacáin iad ag tóraíocht beatha
ag eitealaigh thar mhóinéar do choirp.

XI

Nuair a dh'fhágas tú
ar an gcé anocht
d'oscail trinse abhalmhór
istigh im ucht
ná líonfar
fiú dá ndáilfí
as aon tsoitheach
Sruth na Maoile, Muir Éireann
agus Muir nIocht.

Toircheas

Toircheas I

Lá bog eile i Muimhneachán:
speatráil báistí
ag líonadh poill an bhóthair
fan mo shlí.
Tugann lacha fhiain
aon sciuird is ruathar reatha amháin
síos rúidbhealach an locha,
faigheann greim tanaí, ar éigean, ar an aer
is seolann leis ó thuaidh
ag fágaint urchar ghunnaí lucht foghlaeireachta
i bhfad laistiar de.

Casaim cúinne obann
is chím claí
clúdaithe le heidhneán, caonach,
trí shórt raithní,
leadhb an ghadhair á mheascadh le filigrí
duilleogach leochaileach an ritheal rí
beo sa dúluachair cé
go bhfuil cúpla mí eile fós sara mbláthaíonn sé.
In aice an tí
mhóir tá gasra misniúil plúirín sneachta
ag péacadh cheana féin.

Ar an dtaipeagan
gan chúis, gan fáth, gan ábhar
braithim sona.
Tá gach aon ní á lasadh suas
ón dtaobh istigh
faoi mar a bheadh foinse solais
dá chuid féin
ag gach crann lom is ribe féir.
An mise
nó an dúthaigh timpeall orm
atá ar tinneall?

Toircheas II

Thaibhríos
go rabhas ag tabhairt linbh ar an saol.
Sa sú a bhí sé.
Bhíos luite ar an mbinse íseal seo
is mo dhá chois thuas ar stioróipí.
Bhí an-chuid bídh á alpadh timpeall orm
is fiú ainmhithe beaga, luchóga is racúin
ag sá a bpusanna síos sa bhia taobh liom.
Bhíos-sa ag cumadh filíochta ar mo leaba luí seoil –
"La-lí-la-ló, la-lí-lí-lé,
Coinneal agus coinnleoir ann, is cuirse leathrann
leis sin, má fhéadair."

Taibhríodh do m'fhear céile, an oíche chéanna,
go raibh mac againn.
An méid ná borrfadh an lá dhó
do bhorrfadh an oíche
is gach deoch bhainne a dh'óladh sé
ó mo chíocha
go gcuirfeadh sé brat geire lastuas dó
mar a dhéanfadh aon éan róin.
I gcionn trí lae bhí caint aige.
Do shuigh sé suas sa chot is labhair
is dúirt "Fág an áit uaim
go raghaidh mé láithreach ag lorg m'fhortúin".

Bhraitheas an-fhuar.

106

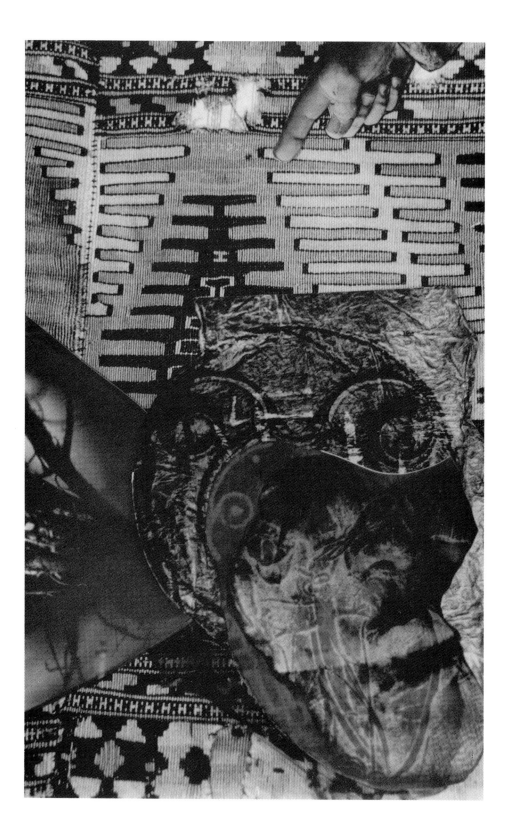

Toircheas III

Gearrann pánaí gloine an tseaca
craiceann mo lámha
is cuireann fuachtáin agus oighear orthu.
Tar éis an tsaoil nílimid fós
ach sa chéad choicíos de mhí Eanáir
agus is í an ghéire gharbh gheimhriúil
is tréith di.

Leanaim líne fuaidreánach na leadhb
isteach sa lios
is tagaim ar an bhfeic,
installation déanta ag ealaíontóir mná:
bábóga ceirte ag crochadh ós na crainn,
síofraí gan aighthe is leidhcidí óinsí,
lamhataisí boga is iarlaisí,
gach uile dhuine againn a thiocfaidh nó a tháinig riamh.
Ar chuireadar lámh ina mbás féin nó ar ídíodh iad?

Séideann seordán gaoithe trí sna brainsí
is trím ghuailne féin chomh maith.
Staithim anuas ruainne de mo bhalcaisí
is ceanglaim do chrann í,
is faoi ghaoth m'anáile ligtear liom trí ghuí –
don tír, do mo mhuintir is don mbanríon
a shoilsíonn trí lár ár saoil mar stuaire crainn
is sinne, mar bhábóga ceirte, ar sileadh léi.

Díreach ansan
tagaim ar chnapán beag sabhaircíní
ar leacan theas an leasa.
Nach rud mar seo fadó
a chuir ag scríobh mo chéad ghiotaí filíochta mé?

Toircheas IV

An féidir scríobh ar chiúnas? – ar an tslí
a sheolann gaileoin néalta tríd an aer,
a seolta arda, bolgacha, gan corraí
is ar dheis, an ghrian, gan gíocs, ag sleamhnú faoi?

An loch ina leamhach, ach bolgáin ag éirí
thall is abhus i bhfianaise go bhfuil éisc
ag scuaideáil thíos sa doimhneas is an liús
ocrach ar thóir a ghoblaigh gan stop ná staonadh.

Ins an chré phatfhuar, thais, tá síol gan corraí.
Ba dhóigh leat a anáil tairricthe ag an saol. San eadarlinn
éalaíonn luid deireanach an tsolais ó bhun go barr binne
faoi mar a éalaíonn go minic an mhéanfach ó dhuine go duine.

Toircheas V

Cheana féin
    tá faid leis an lá, cé go bhfuilimid mós luath fós
    don gcoiscéim choiligh is do bheiriú an spóla.
Ag an tráth seo coicíos ó shin bheinn istigh

sa tigh ag prapáil don oíche; tine ghreadhnach
lasta sa ghráta, an ciotal ag píopáil, gal láidir
allais ag gabháilt lastuas des na tíleanna póirseiléine.
Anois tá scothóga aitinn ag pléascadh amach ina dtrilseáin

ag lasadh suas dhá thaobh an bhóthair. Ligeann lon dubh fead
bharnála nuair a ghaibhim thar bráid, ag fógairt rabhaidh
don gcéirseach atá ag tóraíocht piastaí mí-ámharacha sa draein.
Tagann lucht foghlaeireachta im threo. Glaoim amach *"Any luck?"*

"No", arsa an fear chun deiridh orthu, nár chuala i gceart mé, *"No
    duck"*.
Imíonn an triúr acu tharam sa chlapsholas go tostach,
a ngunnaí folmha briste go haiclí faoina n-ascaill.
Tá labradór dubh agus pointéir Gearmánach ag sodar lena gcois.

Spéirbhean

Caora Fíniúna

Is furasta bheith sásta.
Éiríonn aníos mo chlann
mar shlapair fíniúna
timpeall orm, crann
taca an teaghlaigh,
a ghaibh trí thine
is trí uisce. Tiocfaidh an t-am
fós, gan aon dabht,
go mbeidh a bhfómhar féin rompu
is an t-ualach trom,
mar níl aon éaló ó chrann
tochraiste na cantaoire fíona.

Anois is leor liom
mo lámha a líonadh
leis na fíniúna, na caora.

Primavera

D'athraigh gach aon ní nuair a ghaibh sí féin thar bráid.
Bhainfeadh sí deora áthais as na clocha glasa, deirim leat.
Na héanlaithe beaga a bhí go dtí seo faoi smál,
d'osclaíodar a scornach is thosnaigh ag pípeáil
ar chuma feadóige stáin i láimh gheocaigh, amhail
is gur chuma leo sa diabhal an raibh nó nach raibh nóta acu.
Bláthanna fiaine a bhí chomh cúthail, chomh humhal
ag lorg bheith istigh go faicheallach ar chiumhaiseanna
na gceapach mbláth, táid anois go rábach, féach an falcaire fiain
ag baint radharc na súl díom go hobann lena réiltíní craorag.

Bhíos-sa, leis, ag caoi go ciúin ar ghéag,
i bhfolach faoi dhuilleog fige, éalaithe i mo dhú dara,
ag cur suas stailce, púic orm chun an tsaoil.
Thógfadh sé i bhfad níos mó ná meangadh gáire
ó aon spéirbhean chun mé a mhealladh as mo shliogán,
bhí an méid sin fógraithe thall is abhus agam roimh ré.
Ach do dhein sí é, le haon searradh amháin dá taobh
le haon sméideadh meidhreach, caithiseach, thar a gualainn
do chorraigh sí na rútaí ionam, is d'fhág mé le míobhán
im cheann, gan cos ná láimh fúm, ach mé corrathónach, guagach.

An Sceach Gheal

D'éalaigh an leanbh amach tríd an gcistin ghlan
síos na staighrí cloiche sciomartha go maith le *Vim*
síos an pasáiste dorcha go dtí seomra an bhainne,
an déirí, áit a raibh sciléidí is beistí

ina luí go leisciúil, ag cothú brat maith uachtair.
Bhí boladh géar geall le cáis ós na ceirteacha muislín.
Shatail sí go cúramach, gan aon bhrat smúite a ardú
nó bheadh raic ins an tigh tráthnóna, míle murdail is liú.

Ghaibh sí cliathánach trí gheata beag iata an ghairdín
ina síofra mearluaimneach, ar eagla go mbuailfí bleid
uirthi is go gcuirfí cúraimí uirthi, teachtaireachtaí b'fhéidir
ón siopa nó leanbh i gcliabhán a chaithfí a bheidh á chorraí.

Léim thar an *wire*, níor chuaigh a sciorta cadáis in achrann
an turas seo is ansan go hobann bhí sí saor;
na ba go glúine i dtaoide den mbainne bó bleachtáin.
Do thit tonn órga uirthi ón im shocair ar an gcrobh préacháin.

Bhí cruideáin ag scinneadh as poill ins an mbanc gainimhe
cois abhann, bhí lon dubh ag scaltarnach go hard
nó ag pípéail bharnála chomh luath is a tháinig sí in aon ghaobhar dó.
Ar chnocán leis féin bhí aon sceach gheal amháin faoi bhláth.

D'umhlaigh an leanbh go talamh os comhair na míorúilte,
do chuaigh ar a glúine sa luachair i lár an mhóinéir.
Ní raibh íomhá na Maighdine os a cionn, mar bhí sa tor úd i bhFatima.
Ní raibh, ná faoi bharr lasrach mar thor eile i Sínai. Níor ghá.

Béaloideas

I

Sínim siar sa bhfeileastram breá ard
atá ag fás anseo in aice le duimhche Fionntrá
lá breá gréine
is cuimhním ar an bhfear a cuireadh sall
go ceártain na Cluaise fadó ag an saor bád
ag triall ar mhalairt tairní.
D'imigh sé leis sa tsiúl ab fhearr
a bhí aige go dtí an áit seo. Ansan do shín sé siar,
d'fhéach ar an ngréin is dhein sraic mhaith chodlata
dó féin. Dhúisigh is d'éirigh aniar is d'fhéach
ar an ngréin is thuig sé ná féadfadh sé bheith tagaithe
aniar ó Bhaile Móir san méid sin aimsire. Do shín
sé siar arís is dhein an tarna sraic thar n-ais
is nuair dhúisigh sé bhí an ghrian ag dul i léig.
Do bhailibh sé chuige a chuid tairní isteach i gceirt
is b'eo leis thar n-ais gan stad go saor an bháid
nár aithnigh cioca.

II

Nó an bhean a bhí ag dul 'on tsáipéal
chun a coisreacan tar éis linbh.
Nigh sí a cosa i dTobar Mholaga
is d'imigh an tobar i ndísc.
Chaith an sagart teacht is paidir a rá
trí huaire os a chionn is é a choisreacan
sara dtiocfadh an t-uisce thar n-ais ann.
Nó an ceathrar fear a thug naomhóg leo
ar a ndrom ón nDúinín go Loch Corráilí
chun dul i ndiaidh an phlanda san go dtugann siad
an duilleog bháite air. Thugadar sceana feamnaí
is maidí rámha leo chun é a bhaint
is sa deireadh d'ardaíodar leo ualach maith den ruibh.
Fuaireadar oiread san callshaotha ag teacht abhaile leis
nár deineadh níos mó é is tá an loch triomaithe anois.

III

Tá scata seanduine cois na tine i mbothán
ag caint ar so is ar súd,
is ag tabhairt scéalta don mbailitheoir.
"Ó", arsa fear acu, "na mná a bhí anso fadó
bhí ceol iontu". "Is ní haon tae a bhí á ól acu"
arsa fear eile, "ach bainne gabhair is arán cruithneachtan
is coirce, póire is meacain bhána is iasc is bairnigh."
"Bhí bean i gCill Uru, i bparóiste Fionntrá
a thug ocht gcliabh déag iascán aníos as Faill
na Beirdrí ar a drom is do siúlaigh abhaile tráthnóna.
Saolaíodh cúpla di an oíche chéanna."

"Ba mhaith ann í".

"B'fhiú bia a thabairt di."

Tugaim faoi ndeara
ná hiarrann éinne acu ar mhair an cúpla.

An Bád Sí

Triúr a chonaic is triúr ná faca
na fearaibh ar na maidí rámha,
seaicéidí gorma orthu agus caipíní dearga,
ag dul isteach go Faill na Mná.

Sinne a bhí ag piocadh duilisc
ar na clocha sa Chuaisín –
mise is Neil is Nóra Ní Bhrosnacháin
a chonaic iad is an triúr eile ní fhaca rian.

Bhí ár gceannaibh síos go talamh
ag piocadh linn is ár n-aprúin lán.
Mise is túisce a d'ardaigh m'amharc
nuair a chualamair fuaim na maidí rámha.

Ní fhéadfainn a rá an cúigear nó seisear
fear a bhí istigh sa bhád.
Bhí duine acu thiar ina deireadh á stiúradh
is gan aon chor as ach oiread leis an mbás.

Do liús is do bhéiceas féachaint
isteach faoin bhfaill cár ghaibh an bád.
Chonaic triúr iad is ní fhaca an triúr eile
in áit chomh cúng ná raghadh ach rón.

Is dá mbeidís ag straeneáil ann go maidin
go brách na breithe ní fheicfeadh rian
den mbád úd nárbh aon bhád saolta
a chonac le mo dhá shúil cinn.

Dúirt na seandaoine nár mhithid
teacht abhaile is an Choróin a rá
mar gur minic a bhí a leithéid cheana
á thaibhsiú do dhaoine ar an mbá.

Triúr a chonaic is triúr ná faca
na fearaibh ar na maidí rámha,
seaicéidí gorma orthu is caipíní dearga
ag dul isteach go Faill na Mná.

Ag Tiomáint Siar

Labhrann gach cúinne den leathinis seo liom
ina teanga féinig, teanga a thuigim.
Níl lúb de choill ná cor de bhóthar
nach bhfuil ag suirí liom,
ag cogarnaíl is ag sioscarnaigh.

Tá an Chonair gafa agam míle uair
má tá sé gafa aon uair amháin agam.
Fós cloisim scéalta nua uaidh gach uile uair,
léasanna tuisceana a chuireann
na carraigreacha ina seasamh i lár an bhóthair orm
faoi mar a bheadh focail ann.

Inniu tá solas ar Loch Geal
á lasadh suas mar a dheineann an Cearabuncal
uair gach seachtú bliain nuair a éiríonn seal
aníos go huachtar na loiche is croitheann
brat gainní dhi. Bailíonn
muintir na háite na sliogáin abhann seo mar bhia.

Is ar mo dheis tá Cnocán Éagóir
mar ar maraíodh tráth de réir an scéil
"seacht gcéad Seán gan féasóg,"
is na Sasanaigh ag máirseáil ar Dhún an Óir.
As an gceo

nochtann leathabairt díchéillí a ceann –
"nóiníní bána is cac capaill."
Scuabann a giodam rithimiúil
síos isteach 'on Daingean mé.

Loch a'Dúin

Laistiar de Bhaile Uí hÓinín
i ngleann i measc na gcnoc
tá faill dhubh os cionn Loch a' Dúin
is eas ar Abha na Scóraide.

Do shiúlamair, mé fhéin is m'fhear
is ár mbeirt leanbh
an trí mhíle de ghairbthean sléibhe
i dtreo an ghleanna.

Do chonnaiceamair uainn an riabhóg sléibhe
is plandaí an chorraigh,
lus an bhainne – na deirfiúiríní –
is an trian tarraigh.

Do thógamair na leanaí inár mbaclainn
ag léimt na féithe
is nuair a bhíodar traochta ón aistear fada
d'iarradar scéal orm.

"Eachtraigh, a Mham, ná ceil orainn
ár ndúchas féinig,
na treabhchaisí a tháinig romhainn."
D'eachtraíos is dúrt:

"Nuair a bhí Éire faoi dhraíocht
is dhá cheann ar gach caora
sarar chrúigh an bhean an Ghlas Ghaibhneach
isteach i soitheach a bhí mar chriathar

bhí dair ag fás sa Mhóin Mhór,
is eilití á seilg ann ag na Fianna.
Bhí Éire fós ag Cáit Ní Dhuibhir
is dhá chluas capaill ar Labhraidh Loingseach."

Is do chreideadar mé. Fada uathu fós
an scoilt idir an croí is an aigne
idir an Láithreach, an tuar is an tairngreacht,
an Modh Foshuiteach is an Aimsir Chaite.

Shiúlamair linn is fuaireamair romhainn
tuama meigilíteach,
ding ar a raibh cloch-chaipín mhór
is taobh thall de fulach fia.

Dúrt "Nuair a bhí Fionn is na Fianna
ar fianchoscairt ar fuaid Éireann
ní ithidís ach aon phroinn amháin sa ló
is é sin sa tráthnóna.

Bhíodh tinte móra lasta ag a ngiollaí
is dhá thrinse gearrtha taobh leo
i gceann acu do nídíst iad féin
is sa cheann eile d'ullmhaídíst béile."

Is d'eachtraíos scéal ar an eilit mhaol
an chú chluasrua is an fia beannach,
an damh, an torc, an faolchú
is an ghríbh ingneach.

Is d'insíos dóibh ainmneacha na n-éanlaithe
a bhíodh á seilg,
an chearc fhraoigh, creabhair na ngoba fada
is an capall coille.

Ar aghaidh linn arís is shuíomair síos
ar leirg cnocáin
mar a raibh radharc iontach ar an oileán sa loch
is a dhún ón aois iarainn.

Ní raibh aon ghá a thuilleadh a bheith ag cumadh scéil dóibh,
rith a samhlaíocht thar cuimse.
Bhí fathaigh, manaigh, lucht na Craoibhe Rua
acu suite ar aon bhinse.

Bhí an loch modardhorcha, dubh, salach
lán de mhianach an phortaigh
is ba dhóigh leat air go n-éireodh an phiast neoiliteach
aníos as chun sinn a shlogadh.

Lastuas do bhí an sconna inar cuireadh an leanbh Oscar
i bhfolach faoi chab cloiche
chun ná cloisfeadh sé an gráscar, ach do chuala,
léim is dúirt "Tá an cath coiteann."

Faoin am seo bhí sé ag éirí fuar
is bhí daoine ocrach
is faoin am go rabhamair ag casadh abhaile
bhi cuid againn cancrach.

Is chualathas mo chéile ag rá ina theanga féin
"Ná fiafraigh d'fhile cá bhfuil an bóthar go Baghdat.
Léimfidh a samhlaíocht thar íor na spéire
is raghaidh tú amú sa phortach."

Admhaím go raibh an tsiúlóid achrannach,
is an talamh fliuch
is gur chuaigh cuid againn síos go hioscadaibh
ins an bhféith bhog.

Ach do chonaiceamair uainn
an préachán cosdearg is an caislín cloch
is bhíomair chomh bodhar acu nach mór nár thuigeamair
caint na bhFiach nDubh.

Is do phiocas toirtín den dtim fiain
"ris a ráitear lus mhic rí na mbrat"
chun a chur i gcuimhne dhom ar feadh scaithimhín eile
an draíocht a bhí ag roinnt leis an loch.

Mar anois tráthnóna, faoi bhun easa
snámhann ceithre eala faoi gheasa
– Fionnnuala is a triúr dearthár
is thíos fúinn i mbéal an ghleanna

cloisimid uaill gadhar is gárthaí fear
mar a bhfuil tréada caorach á seoladh abhaile
ag lucht aoireachta nó eilití maola
á seilg ag an bhFiann.

An Ceann

Fear is ea Thomas Murphy, fear m'aintín,
a aithníonn ceann thar cheannaibh.
   Níl tuama dá n-osclaítear thall i dTeampall Chaitlíona
a bparóiste Fionntrá nach féidir leis gach plaosc ann a rianadh
díreach ach féachaint ar na fiacla. Is nuair a thagann sé
ar chnámh lorgan a briseadh tráth is go bhfuil rian
a chniotála fós le léamh air, tá a fhios aige cé tá aige,
a ainm is a shloinne, is fiú tá cuntas aige ar conas
a tharla an óspairt.

Ach fós deir sé liom nár thóg sé riamh ina láimh
an rí ar fad orthu, plaosc Thomás a' Chinn.
De Mhuintir Chíobháin ab ea é, anuas ó Chill Uru
is bhí sé garbh láidir toirtiúil ina mheon is ina chruth.
Chuaigh sé i ngeall dhá ualach capaill de ribíní feamnaí
le fear ó Ráth Fhionáin, mac baintrí,
ach seans buille a bhualadh sa cheann air.
Do bhí mo dhuine go dícheallach ag roghnú a mhaide
is sa deireadh thoigh sé faid ribín úime
ó úim Thomáis Uí Chíobháin. Chuir sé in airde a mhaide
is thug sé slais mhaith láidir timpeall na cluaise air.
Dhein dhá smut den maide is corraí níor dhein Tomás
ach do chuimil sé a chluais is do líon sé a dhá ualach
feamnaí is do bhailibh sé leis abhaile leo.

Anoir ó Áth na Leac ab ea a bhean
is chuaigh sé isteach an chistin chuici.
Bhí siúnéir an uair sin i gCill Uru
is bhí sé ina shuí cois na tine aici.
Bhí cónra déanta aige go cruinn is go beacht
go raibh bileog orlaigh nó orlaigh is ceathrú inti.
"Ba dheas liomsa an fear a chuirfeadh clár isteach
le buille thruip uirthi,'' ar seisean.
"Fear gan ainm ná déanfadh é lena cheann,''
arsa Tomás, is do dhruid sé uaidh siar
is do bhuail sé buille dá bhathas glan díreach ar an gcónra
is do chuir sé an clár isteach uirthi.

Ní hionadh mar sin nuair a cuireadh é i bhFionntrá
i dTeampall Chaitlíona go raibh a phlaosc fós le haithint ann.
Ceann Thomás a' Chinn a tugtaí air
is bhíodh daoine ag déanamh iontais dó.
Ach dá mhéid é a scrothaíocht ní raibh aon bhreith ag Tomás riamh
ar Leanbh Mór an Ghleanna, a chónaigh thiar i nGleann Fán.
Floruit timpeall na bliana 1784, Bliain an Droch-Earraigh,
– deich mbliana nó mar sin roimis Bliain Maraithe na bhFear
sa Daingean – níor fhan súgán i gcathaoir nó sop tuí i leaba
nár itheadh an bhliain sin.
Bhí sé sa tairngreacht go dtiocfadh a leithéid ann
is iontas ab ea é. Banlámh anairte a dhéanfadh muinchille
a riosta is an beart bruis a thabharfadh sé anuas ón gcnoc
bhíodh toirt botháin ann. D'aistríodh sé bád
síos is suas is seisear fear fén dtaobh eile dhe.
Bhris sé lámh duine lá leis an bhfáscadh a thug sé dó.

Tomás Chonchúir, is é ag marcaíocht ar a stail bhán,
chuaigh sé isteach i dtigh an Linbh mar bhí gaol aige
lena mháthair. Fuair sé muga maide de ghruth is meadhg
is d'ól é go sásta is do shín sé an muga go dtí an Leanbh.
Níor dhein sé siúd aon ní ach breith ar Thomás Chonchúir
is é a bhualadh faoina ascaill is gabháilt amach
an doras leis. Bhí a mháthair ina choinne.
"Cá bhfuileann tú ag dul leis sin?" "Chun é a chaitheamh le haill,"
arsa an Leanbh. Bhí a mháthair ag bladar is ag bladar
is ag tathant is ag fógairt air go dtí sa deireadh
gur scaoil sé leis. Ní raibh an Leanbh an lá sin
ach naoi mbliana d'aois is trí bliana déag a bhí sé
nuair a cailleadh é. B'éigean do mhórsheisear fear
dul faoin gcomhrainn is tá sé ainmnithe riamh ó shin
ar an bhfear is mó a mhair sa dúthaigh riamh.

Ach cén bhaint atá aige seo go léir liomsa
nó caith uait na céapars, a deireann tú.
Tá, go siúlann na daoine seo go léir go reigleálta
isteach i mo thaibhrithe. Inné roimh lá
bhí fathach mór d'fhear óg, an Leanbh ní foláir,
trasna an chuain uainn is bhíos-sa agus na leanaí
ag iarraidh é a mhealladh chugainn anall
trí sholas a lasadh, faoi mar a bheadh tóirse gluaisteáin
ann/as, ann/as, ann/as – trí lasadh fada
is trí cinn ghearra arís, ar chuma *S.O.S.*
Féachaint an dtuigfeadh sé an scéala
is go dtiocfadh sé i leith;
féachaint an bhféadfaimis teangmháil a dhéanamh leis
ar deireadh.

Heracleia

Tá sé róthe. Grian scoilte cloch í seo
is ní hionadh na carnáin carraige cois sléibhe Latmos.
    Ach diabhal toradh againn uirthi; téimid isteach sa bhád
rud a mheabhródh duit an rá úd ar mhadraí confaigh is Sasanaigh.

Mehmet *Amca*, an seanduine atá ár dtiomáint,
ní baol dó an ghaoth ná an ghrian ar fhábairí doimhne a chraicinn,
é ag breathnú amach roimhe go géar, a láimh ar an dtilléar
gan le clos ar fuaid an locha ach futafata an innill.

Téimid i dtír is suas an bealach achrannach
is leanaimid lorg éidreorach fallaí na seanchathrach.
Tá teampall Athene ar dheis is síos cois na trá aireagal Shilene,
bandia na gealaí, a leag a súil ar an aoire álainn Endimyon.

Thug sí dó grá is féirín den óige shíoraí
ar aon choinníoll amháin, go bhfanfadh sé de shíor ina chodladh.
N'fheadar éinne na gnásanna fuafara atá ceilte sa bhfabhal-
scéal agus is ró-chuma linn mar ní chuige sin atáimid

ach chuige seo – go dtáinig Micheál, fear céile mo dhriféar
(*eniste* nó "an cliamhain isteach" mar a thugann na Turcaigh air)
do tháinig sé ar phíosaí do chlocha greannta nó móséic
thíos faoi ghaineamh na trá cúpla lá ó shin is tá siad sa cheann aige.

Treasnaímid garraí sheasamain feirmeora bhig
atá ina shuí gan dabht sa scáil agus meabhair is ciall aige
ag imirt táiplise sa chaifé, ag sú isteach tae sháiste is biadáin
murab ionann is sinn féin ag treabhadh linn faoi bhrothall uafásach.

Bainimid amach an áit. Tá na clocha fós ann.
Is tosnaímid á nglanadh is á sciúradh le scuab urláir,
sceana póca is olann chruaidh. Is dóigh le Micheál
gur fionnachtain nua seandálaíochta atá againn idir lámha.

Ní admhóinn a mhalairt. Is mó próca cré lán d'uisce an locha
caite faoin am seo againn ar an bpátrún cloiche
is é ag glioscarnach os comhair ár súl. Fágaim ansan iad is cúbaim
isteach sa scáil is titeann mo chodladh orm i dtuama Cáireach

atá gearrtha amach as an gcarraig lom. Nuair a éirím aniar
go déanach tráthnóna go hard os ár gcionn in airde chím fiolar ábhal-
mhór, fiolar impiriúil ní foláir, ag eitilt i dtreo a nide de bhuillí
leisciúla sciathán is cuimhním gan aon dua ar an dtráth go bhfaca

seacht gcinn de pheileacáin bhána ag plánáil an aeir ar bhruach
na hAigéine Ciúine. Ba dhóigh leat ealta phetrodactl ag tóraíocht
a ngoblach sa Ré Mheiseósóach. I bhfaite na súl imíonn trí chéad
milliún bliain thar bráid, gan buíochas d'Einstein.

Ceist na Teangan

Cuirim mo dhóchas ar snámh
i mbáidín teangan
faoi mar a leagfá naíonán
i gcliabhán
a bheadh fite fuaite
de dhuilleoga feileastraim
is bitiúman agus pic
bheith cuimilte lena thóin

ansan é a leagadh síos
i measc na ngiolcach
is coigeal na mban sí
le taobh na habhann,
féachaint n'fheadaraís
cá dtabharfaidh an sruth é,
féachaint, dála Mhaoise,
an bhfóirfidh iníon Fhorainn?

Éirigh, a Éinín

Éirigh, a éinín, i mbarra na gcraobh
is beir ar an ngéag uachtarach i do chrúcaí,
scol amach go haerach in ard do ghutha is do chinn
do shiolla glórmhar fuaime, in aon sconna amháin nótaí.
Ansan dein arís é is meabhraigh faoi dhó nó faoi thrí
na fíricí bunaidh do mo leithéidse ainmhí – abair
cé gur chailleas mo stór nach dócha gur chailleas mo chiall
is cé gur mór é mo bhrón nach bhfuil teora le ceolta an tsaoil.

Éirigh is cuir in iúl dúinne, a mhaireann go bocht
le méid an tochta a líonann do chroí is t'ucht
go bhfuil na ba bainne ag iníor
ins na móinéir cois abhann, feileastram is féar
ag dul go cluasa orthu; iad ag cogaint na círeach go réidh
malltriallach, muinín is foighne le feiscint ina súile séimhe
cé go bhfuil leoraí an bhúistéara ag feitheamh leo is an léith
uisce i bhfolach faoi scáth an bhiolair sa bhféith.

Go bhfuil triúr ban faoi scairfeanna saorga ag tabhairt an turais
ag tobar Naomh Eoin Baiste na Minairde. Iad tagaithe abhus
ón gCom is ón nDaingean, iad ag cur beagáinín allais
ina ngúnaí *crimplene* le méid an teasa lae Lúnasa.
Ardaíonn an bhean is raimhre acu a guth, ag rá na Corónach
i mBéarla na tuaithe, deichniúr i ndiaidh deichniúir,
ag ardú is ag isliú mar dhordán beiche nó traonaigh.
Tá na cuileanna glasa ag leathadh ubh ar na sméara os a gcomhair.

Inis go bhfuil tóithín turasóra mná anall ó Shasana
i mbícíní buí ag éirí as an dtoinn,
í ag siúl trasna go doras a ceampair *GB*
is le tuáille straidhpeach á triomú féin ar an gclaí;
go bhfuil a bolg slim is buí ón ngréin,
a cíocha mar *grapefruit*, córach agus cruinn,
cíor gruaige ina deasóg is buidéal seampú *Loxene* ina láimh chlé,
gan de dhíth uirthi mar Bhénus ach amháin an sliogán muirín.

Éirigh is cuir do chroí amach, i nganfhios
duit tá bean mheánaosta dhuairc ag gabháilt na slí
í ag treasnú na duimhche, ag gabháilt anuas Bóthar an Fhearainn
is leanbh máchaileach á thiomáint aici roimpi.
Tá scamall anuas ar an mbean is grabhas ar a pus,
a stocaí laisteacha ag cur uirthi ag an dteas,
cé gur mheasa ná san go mór, dar léi, an tinneas
óna féitheoga *varicose* dá mbainfeadh sí iad anuas.
Can amach go hard, ó scáth an chrainn daraí,
a smólaigh mhóir, tharrbhric, do cuid spotaí
ag cur réilthíní speabhraíde orm, tapaigh anois do sheans
go gcloisfidh an leanbh tú, is é suite suas sa phram;
buailfidh a bhosa ar a chéile is déanfaidh gáirí
is cuirfidh in iúl dá mháthair ina shlí féin, "A Mham,
cuir suas de sna smaointe is den duairceas tamall,
tá éinín ag canadh ar dalladh ar bharra na gcrann."

Féachfaidh an bhean aníos as an gceo modardhorcha
atá ar foluain ina timpeall, is glacfaidh sí misneach is ciall.
I gcraipeadh na súl sínfidh cosa ón ngréin tríd an néal
féintrua atá á milleadh, is leathfaidh fáth an gháire ar a béal.
Chímse an gáire agus is fearr liom é ná fáth a goil
is tuigim gur mhaith an díol ort an moladh, do rud chomh beag,
do scaltarnach mire mar fhianaise ar an aiteas is an phian
a bhaineann le marthain, mo dhálta féin, a éinín.

CLÁR NA gCÉAD LÍNTE